Juste avant l'Oubli

DU MÊME AUTEUR

De qui aurais-je crainte, photographies de Raphaël Neal, Le Bec
    en l'air, 2015.
Sombre dimanche, Albin Michel, 2013.
Jusque dans nos bras, Albin Michel, 2010.
Deux moins un égal zéro, Éditions du Petit Véhicule, 2003.

ALICE ZENITER

Juste avant l'Oubli

ROMAN

L'auteur a bénéficié pour la rédaction de ce livre
d'une résidence d'écriture à la Villa Marguerite Yourcenar
et d'une bourse du Conseil général du Nord.

*à Witold Gombrowicz
et aux quarante années passées
à croire que* Les Envoûtés
était un roman inachevé.

Note de l'auteur

Idéalement, dans ce livre, les personnages parleraient un certain mélange de langues, incluant notamment de nombreux dialogues en anglais. Pour des raisons pratiques que le lecteur peut imaginer, l'intégralité de ce roman est malgré tout écrite en français – ceci allant à l'encontre de tout réalisme mais évitant les notes de bas de page avec traduction.

« Ainsi nous étions tous quatre sur le pays de nos rêves, le monde perdu, le plateau découvert par Maple White. Nous eûmes l'impression de vivre l'heure de notre triomphe personnel. Qui aurait pu deviner que nous étions au bord de notre désastre ? »

Le Monde perdu,
Arthur Conan DOYLE.

Le problème du nom

« Malgré ses insomnies, Adrian Dickson Carr avait toujours refusé de compter les moutons avant de dormir. C'était une position de principe. Il emmerdait le tourisme rural. »

Galwin DONNELL, *Addiction(s)*.

Franck avait la malchance de porter son prénom. Il le savait. Certains prénoms vous tuent à l'instant qu'ils vous nomment. Franck était persuadé, jusque dans ses moments de bonheur les plus intenses, qu'il aurait pu avoir une vie meilleure sous une autre identité. Les gens ne le regardaient pas de la même manière que s'il s'était appelé Guillaume ou Théo. Les gens le regardaient de la manière dont lui regardait les Kévin. Il végétait sans grâce, au bas de la hiérarchie des prénoms.

Sa mère n'avait jamais expliqué les raisons de son choix. Ou il ne les avait jamais comprises. Elle disait qu'elle trouvait ça *joli*. Elle lui citait de nombreuses personnes que le prénom Franck n'avait pas empêchées d'accéder à la réussite, à la joie : Sinatra, Zappa – malgré le grand écart musical que demandait la juxtaposition de ces deux noms –, Provost – qui régnait sur un empire de cheveux – et une horde de footballeurs et de véliplanchistes couverts de titres et de médailles. Curieusement, elle incluait à la liste Benjamin Franklin, comme s'il s'était appelé Benjamin-Franck Lin – ce que Franck crut tout au long de son enfance.

Pendant ses années de lycée, il avait essayé d'oublier cette blessure tenace en se plongeant dans les jeux de rôles. Là, on l'appelait, au moins pour quelques heures, Seigneur des Montagnes, Guerrier du Royaume perdu, Oumane le magnifique... Il versa brièvement dans l'écriture de space-opéras qu'il ne poussait jamais plus loin que les premières pages, juste pour le plaisir de donner à des kyrielles de personnages des noms qui signifiaient quelque chose, des identités radieuses. Il avait montré ces feuilles volantes, un jour, à Émilie. Il les conservait encore, dans une chemise en carton qui s'abîmait aux coins, et elle les avait trouvées *intéressantes*.

Mais ces échappatoires étaient éphémères, comme le lui rappelaient tous les matins l'appel fait en cours et l'énoncé morne de son état civil. « Franck Lemercier ? » demandait une voix dépourvue de magie. Il levait la main presque à contrecœur, espérant chaque fois l'espace d'une seconde que quelqu'un d'autre réponde présent, assume la responsabilité de ce prénom qui lui pesait tant et qu'il se réveillerait comme d'un cauchemar trop long pour découvrir qu'il s'appelait autrement.

« Est-ce que la fleur que nous appelons rose, sous un autre nom, sentirait aussi bon ? » demanda un jour le fragile professeur d'anglais qui peinait à les initier à Shakespeare. La classe dormait devant tant de pédanterie inutile mais Franck, lui, comprenait instinctivement l'interrogation du poète. Et il y avait déjà répondu : non, bien sûr que non. Si les roses s'appelaient Franck, on ne parlerait pas tant de leur parfum. Et probablement, à force de n'être plus senties ni citées, les roses/Franck – par une sorte d'évolution darwinienne – perdraient lentement toute odeur. Rien ni personne ne se démène à produire de la beauté en pure perte.

On avait plusieurs fois suggéré à Franck de changer de nom. Il n'avait même pas à faire de démarche officielle, simplement à demander aux autres de ne plus l'appeler Franck, ou à utiliser son deuxième prénom, Joseph, hérité d'un grand-père qui n'existait plus que sur les photographies. Pendant quelques années, il porta au cœur à chaque nouvelle rencontre l'espoir fragile qu'il aurait la force pour une fois de mentir (mais était-ce mentir que de taire ce prénom qui ne lui ressemblait pas, qui ne disait rien de lui ?) et de se présenter autrement. Il savait cependant qu'il était trop tard : il avait déjà été façonné en tant que Franck, il avait hérité des complexes et des incertitudes du Franck. Un nouveau nom ne serait plus désormais qu'un vernis inutile.

Franck était infirmier. Lorsqu'il l'annonçait aux gens, il remarquait souvent que ceux-ci voyaient son métier comme la conséquence d'un échec en fac de médecine. Comme s'il s'était rabattu sur ce poste à défaut de ceux, plus prestigieux, qui lui avaient échappé. Il leur expliquait alors doucement qu'il n'était pas infirmier par pis-aller, que c'était un choix qui s'était très tôt imposé à lui.

À la mort de son père, les infirmiers lui avaient laissé une bien meilleure impression que les médecins – des oncologues aussi prompts à apparaître qu'à disparaître, comme si les patients, très vite, les lassaient et qu'ils éprouvaient le besoin d'un nouveau jeu. Les infirmiers, eux, ne s'ennuyaient jamais au contact de la maladie (affirmait Franck à ses interlocuteurs). Ils savaient que soigner était un travail de longue haleine, une assistance bien plus qu'un miracle. Les infirmiers étaient ceux qui maintenaient patiemment la vie sur les lits-machines des hôpitaux, ceux qui connaissaient les familles, les prénoms et les odeurs des malades. Franck avait tout de suite su qu'il appartenait à leur armée discrète et résistante.

Il arrivait aussi qu'à l'annonce de son métier les gens lui demandent s'il portait quelque chose sous sa blouse. À ceux-là il n'expliquait rien. Ils ne le méritaient pas.

Il prenait une pause-cigarette (sa deuxième de la journée) à côté du local à poubelles en regardant le soleil faible hésiter entre finir l'été et commencer l'automne, et il était perturbé par le nombre de pensées différentes que son cerveau s'efforçait de suivre. Il voyait la cigarette diminuer entre ses doigts, conscient qu'aucune de ces directions n'aurait le temps d'être pleinement explorée avant qu'il n'écrase son mégot et cette angoisse l'entraînait encore vers une nouvelle réflexion : faut-il parvenir à mettre de l'ordre dans sa vie pendant les brèves pauses que l'on s'accorde au cours de la journée ou vaut-il mieux se laisser voguer sans penser à rien ?

Souvent, Franck aurait voulu ralentir le monde comme un film en conservant pour lui seul une vitesse normale qui lui aurait permis de prendre de l'avance.

Il écrasa la cigarette sur le plastique vert de la poubelle et rentra. Le service des Urgences de l'hôpital Bichat était un joli bordel, comme à l'ordinaire. Il y avait une grosse dame plantée dans l'entrée, munie d'une valise pareillement grosse. Elle attendait que l'on s'occupe d'elle avec la détermination farouche de celle qui ne ferait pas le premier pas. Le personnel soignant, probablement vexé, répondait à son attitude en faisant semblant de ne pas la voir.

Franck, comme les autres, l'ignora et retourna s'occuper du cas qu'il avait accueilli plus tôt dans la journée : un braqueur malheureux, blessé par un commerçant plus armé que lui. Les infirmiers s'étaient aussitôt lancés dans un débat visant à établir si le patient l'*avait bien cherché*, s'improvisant juristes afin de définir ce qui relevait ou non de la légitime défense. Franck, qui d'habitude aimait ce genre de discussions autour de la machine à café, n'avait pas exprimé d'opinion. Pour lui ce jour-là, tout homme doté d'une arme et de l'intention de s'en servir était un imbécile qui n'avait que deux options :

1. mourir
2. gâcher la journée de Franck en atterrissant aux Urgences de l'hôpital Bichat.

(Ceci, bien sûr, à condition que l'homme et l'arme se trouvent dans le 17e, 18e, 19e arrondissement ou dans la commune de Saint-Ouen.)

Il aurait bien voulu ne pas avoir à s'occuper de patients déchiquetés par des balles parce qu'il partait le lendemain pour un voyage compliqué mais heureux et qu'il aurait aimé pouvoir ne penser qu'à ça. Il avait toujours peur de ne pas avoir suffisamment pesé les choses avant de les accomplir, et donc peur que les choses puissent surgir devant lui et le prendre au dépourvu, simplement parce qu'il n'avait pas fait l'effort de préparation qui consiste à les penser de bout en bout avant de les vivre.

Son patient était déjà dans le coma au moment de son arrivée. De l'avis des médecins, il ne se réveillerait probablement pas. Franck lut sur sa fiche qu'il avait dix-neuf ans. On ne tue pas les gens de dix-neuf ans, merde. Ce devrait être un principe universel.

— Je me dis souvent que tu es trop gentil ou trop con pour faire ce métier, lui glissa Leïla, une aide-soignante, en lui prenant la fiche des mains.

Elle avait des accès de sympathie bourrue quand elle constatait la détresse de Franck. Parfois aussi, elle lui offrait des biscuits au chocolat.

— On dirait que tu vas pleurer à chaque mauvaise nouvelle.

Elle n'avait pas tort. Franck avait souvent envie de pleurer. Et de vomir.

Au petit matin, quand il rentrait de ses gardes de nuit, il regardait des comédies romantiques et des dessins animés (sa préférence allant aux quatre volets de *L'Âge de glace*) jusqu'à ce que les images de l'hôpital soient remplacées par celles de beautés blondes, de sourires blancs, d'animaux pleins de bonne volonté. Il basculait lentement dans un monde où les mammouths et les dodos existaient encore – un monde qui niait la possibilité même de l'extinction –, où l'on poursuivait une noisette avec une maladresse si poussée qu'elle en devenait un tour de force, où les reliefs de la banquise semblaient n'avoir été formés que pour servir de toboggans, un monde qui glorifiait l'entraide entre des espèces qui auraient dû se dévorer et qui assurait le spectateur que les méchants seraient punis, qu'un génie sommeillait en chaque imbécile et que toute mésaventure se terminait par une chanson.

Lorsque Émilie le trouvait devant la télévision en se levant, elle lui passait la main dans les cheveux avec un sourire compatissant. Elle ne s'asseyait que rarement à côté de lui dans le canapé : le monde des animaux parlants ne l'intéressait pas beaucoup. Elle faisait une thèse sur Galwin Donnell – « le pape de la cruauté », disait-elle parfois en ne plaisantant qu'à demi.

Elle avait reçu l'année précédente l'autorisation du duc ou du seigneur – Franck ne savait plus quelle branche à demi éteinte de l'aristocratie écossaise possédait encore cette terre – de se rendre sur Mirhalay, l'île où l'auteur avait passé les dernières années de sa vie, afin de mener à bien ses recherches. Elle était partie depuis trois mois et bientôt Franck prendrait à son tour une combinaison compliquée d'avions et de bateaux pour aller à sa rencontre. Même si, ces derniers temps, leur relation avait été difficile, l'éloignement avait prouvé à Franck qu'il ne pouvait pas vivre sans Émilie. Il avait pris la décision de le lui dire en toute humilité et, si elle le voulait bien, d'être heureux avec elle jusqu'à ce que la mort les sépare.

Il lui restait quatre heures de service (dont probablement une dernière pause-cigarette) et il pourrait se concentrer uniquement sur cette perspective.

Les nuits du voyageur

« Ce visage au-dessus de lui, au
moment de reprendre conscience, et
qui lui imposait une proximité
odieuse, ce visage de garde-malade ou
de prostituée où se mélangeaient les
lignes nettes du maquillage et le flou
des traits empâtés, souriait paisiblement avec l'air de vouloir dire : tout
va bien. Or, tout n'allait pas bien. »

Galwin DONNELL, *Les Lèvres pâles*.

Le voyage de Franck comprenait un premier
vol de Beauvais à Glasgow, puis un autre de
Glasgow à Barra d'où il prendrait, pour finir, le
bateau jusqu'à Mirhalay.

La préparation de ce périple avait été angoissante. Franck se déplaçait presque uniquement en
voiture. Il aimait conduire lui-même son véhicule.
Il aimait suivre des panneaux avec le sentiment
qu'il comprenait l'organisation du réseau routier
irriguant un pays et s'arrêter quand il l'avait
décidé – parfois par pur caprice géométrique
(milieu d'un segment, angle droit formé par deux
nationales), parfois pour prévenir les nécessités

mécaniques (faire le plein, laisser refroidir le moteur), parfois parce que la beauté d'un endroit l'exigeait, simplement.

Un été, Émilie et lui étaient descendus jusqu'à Rome de cette manière et lorsqu'ils avaient atteint la capitale italienne, incapables de partager avec d'autres la splendeur des ruines et des églises, ils avaient fait demi-tour. Ils avaient prétendu plus tard ne pas avoir pu supporter la chaleur collante de Rome au mois d'août mais en réalité, ce qui les avait poussés à partir, c'était la conscience que la ville-splendeur était régie par des horaires oublieux de leurs réveils tardifs, de leurs siestes répétées ou de leurs pics d'énergie nocturnes, au contraire du cocon de leur véhicule où ils pouvaient plier le temps à leurs désirs. Ils avaient décidé d'abandonner toute convention sociale (l'obligation d'admirer Rome, d'ajouter quelques lignes au discours universel et extatique sur les statues du Bernin, les tableaux de Caravage et la *Pièta* de Michel-Ange). À la place, ils n'agiraient qu'au gré de leurs envies immédiates (voir la mer, boire du vin blanc, manger des olives). Émilie riait comme une enfant en remontant en voiture :

— Franck, répétait-elle sans parvenir à croire qu'elle tournait le dos à des siècles de culture, Franck, Franck, on s'en fout de Rome. Rome n'est pas si importante.

— Bien sûr qu'on s'en fout, disait Franck en saluant d'un geste moqueur le Circo Massimo.

Ils avaient fui la capitale. Leurs vacances avaient été merveilleuses à partir de là. Ils avaient réalisé que leur voyage n'avait pas de destination : ils *étaient* leur propre destination. L'amour les rendait suffisamment égoïstes, ou narcissiques, pour qu'ils ne veuillent pour tout souvenir de l'été que des cartes postales d'eux-mêmes.

Rejoindre aujourd'hui Émilie n'avait ni la même facilité ni la même grâce que voyager avec elle. Le trajet n'était plus un moment de plaisir à partager mais une course d'obstacles. Franck pensait à Ulysse et à sa longue errance sur le chemin du foyer.

Il avait prévu de s'acquitter de la partie « avions » dans la première journée puis de passer la nuit à Barra. Il prendrait la mer le jour suivant. Le trajet en bateau avait été difficile à mettre en place car il n'y avait pas de navettes régulières pour Mirhalay, propriété privée du duc d'Alberg. De plus, la belle saison était passée et il était difficile de convaincre un marin de sortir en septembre alors que le vent s'était levé.

Malgré le soin avec lequel Franck avait préparé son voyage, son premier vol eut deux heures de retard et, arrivé à Glasgow, il n'avait plus d'avion pour Barra.

Après un bref instant de panique – *l'Odyssée commence* –, son cerveau se mit instinctivement à fonctionner de manière efficace, compilant les possibilités, présentant une liste de solutions. Dix ans passés en hôpital avaient ordonné les pensées de Franck presque malgré lui. Il se rendit dans un Bed and Breakfast proposé par les affiches de l'aéroport et situé dans un quartier résidentiel sans intérêt (son guide de l'Écosse lui assurait pourtant que Glasgow réservait au visiteur de nombreuses surprises architecturales). La chambre était blanche et mauve et il y flottait une odeur de lessive mêlée d'humidité. Sur le lit, une ronde de souris en peluche lui présentait leurs longues dents de feutrine. La frontière du charmant et de l'effrayant y était relativement mince.

Il envoya un mail à Émilie en espérant qu'elle le lirait à temps, puis appela le marin qui devait le conduire sur l'île pour repousser leur rendez-vous. L'homme paraissait mécontent du changement. Franck n'était pas sûr. L'accent écossais et le téléphone faussaient également sa compréhension des sentiments.

Une fois traitée cette erreur de parcours, il sentit son calme revenir. Ce n'était pas un mauvais présage, à peine un hoquet. Il sortit s'acheter de quoi dîner dans un Coop voisin. Il erra dans les rayons réfrigérés, incapable d'avoir envie des aliments sous plastique parfaitement ronds ou parfaitement carrés qui y étaient alignés. Il frôla quelques instants la paralysie devant des club-sandwichs, parfaitement triangulaires, qui pressaient contre leur emballage transparent des langues gluantes d'œufs et de concombres.

Il se décida pour une *pork pie* qu'il mangea froide sur le lit dont il avait écarté les peluches souriantes. Les miettes tombaient en silence sur son tee-shirt et ses doigts se perdaient dans la gélatine cachée entre l'épaisseur de croûte et celle de viande. Les chaînes de télévision lui proposaient des émissions de cuisine où des candidats réalisaient d'improbables chefs-d'œuvre, des disputes de télé-réalité entrecoupées de « biiiiiiiiip » désagréables et des concours de talents qui donnaient l'illusion que le pays entier avait pour ambition de finir dans un show à Vegas.

Depuis le départ d'Émilie, son addiction aux programmes télévisés idiots avait atteint des abysses innommables. Il ne se contentait plus des dessins animés. Il fouillait Internet à la recherche du pire du pire. D'aucuns regardent du porno en l'absence de leur copine. Franck, avec le même genre de honte, enchaînait les unes après les autres les saisons d'*America's Next Top Model*. Il essayait de se convaincre qu'il le faisait pour améliorer son anglais mais il se gavait en réalité de formules toutes faites vantant la puissance de la vie et le triomphe du courage. « Je me suis sortie d'une relation abusive et je suis désormais en finale. Il y a une lumière au bout du tunnel. » Dans cette émission, les gens n'étaient pas des gens mais des preuves vivantes que le rêve américain fonctionnait encore et Franck ne pouvait s'empêcher de trouver une certaine noblesse dans cet entêtement dépourvu de second degré.

La télévision britannique n'offrait rien d'une profondeur comparable ce soir-là. Il regardait sans voir, en mâchouillant. Il pensait à la dispute qu'il avait eue avec Émilie la veille de son départ. Il s'en voulait. C'était ridicule de se disputer avant une séparation de trois mois. Il aurait fallu se quitter les yeux mouillés d'amour, un mouchoir blanc à la main sur le quai d'une gare. Il aurait fallu s'éloigner sur une musique de violons infiniment triste au milieu des visages brouillés des passants qui n'existent plus. Mais Franck, dans sa panique de voir Émilie disparaître, avait eu la mauvaise idée de remettre en cause le bien-fondé de se lancer dans une thèse maintenant et d'infliger à leur couple cette vie à deux vitesses. Il avait réussi – mais ça avait été un exploit inutile – à ne pas exprimer la fin de sa pensée qui était : *au lieu de rester là et de tenter, par exemple, de fonder une famille.*

Franck voulait un enfant avec Émilie. Il voulait désespérément un enfant. Parfois, il pensait à voler une poussette. Il se savait rare parmi ses amis ou collègues du même âge. Les autres avaient plutôt des crises d'indépendance, se mettaient à tromper leurs fiancées à tour de bras, les abandonnaient tout à coup après dix ans de vie commune, fuyaient quelques semaines avant l'accouchement.

Mais Franck trouvait que ces agissements – dont les femmes diraient ensuite, dans une généralisation glaçante, qu'ils prouvaient que les hommes *étaient tous les mêmes* – venaient du fait que ses collègues surestimaient beaucoup leur propre sauvagerie. Ils se voyaient comme des lions en cage, même les plus doux, les plus mièvres, les plus dénués de rugissements. Ils s'imaginaient un appétit sexuel immense qu'une seule femme ne pourrait jamais contenter, même ceux qui bandaient mal, qui draguaient peu ou qui préféraient le football à la baise. Ils se croyaient trop indépendants pour les compromis de la vie à deux, eux qui laissaient par ailleurs la société dicter leurs choix de vie et s'y adaptaient parfaitement.

« Les gars, aurait voulu leur dire Franck, je ne sais pas où vous avez pioché que vous êtes d'indomptables loups des steppes, mais si vous vous calmiez un peu, vous verriez bien vite qu'il n'y a rien en vous d'incompatible avec le couple. » Il ne le disait pas car il savait que cela vexerait ses collègues. Ils voulaient être d'indomptables loups des steppes, c'était dans la vie leur grande faiblesse.

Lorsque Franck avait parlé à Émilie de son désir d'enfant – un enfant tout petit, fragile, un devenir infini, un enfant dont il choisirait le nom avec un soin immense pour que jamais celui-ci ne le pénalise –, elle avait dit : « Je vais y réfléchir. » Deux mois plus tard, elle avait déclaré : « Je voudrais arrêter d'enseigner au collège et faire une thèse. »

Une thèse, ce n'était pas un enfant, c'était tout son contraire. Franck l'avait bien compris. Leur avenir commun était devenu une sorte de fourche de cette manière brutale. Et il se surprenait parfois à regretter d'avoir parlé de ce bébé possible et d'avoir ainsi provoqué la thèse.

Le soir du départ, trois mois auparavant, il avait relancé le sujet alors qu'il savait pertinemment que celui-ci mènerait à une dispute.

— Je me demande simplement, avait dit Franck, s'il y a une réelle urgence à faire une thèse. Si ça doit être maintenant. Je ne peux pas comprendre pourquoi ça doit être maintenant.

Par déformation professionnelle, Franck raisonnait souvent en termes d'urgence.

— Tu es un homme, avait répondu Émilie d'un ton excédé, et ton métier consiste plus ou moins à sauver la vie des gens. Alors je suppose que non, en effet, tu ne peux pas me comprendre. Tu ne sais pas ce que ça veut dire, avoir à prouver sa légitimité, avoir besoin de se sentir utile et reconnu, douter de sa valeur et de sa place dans la société.

C'était vrai. Et pourtant c'était injuste. Franck n'était pas *né* avec le sentiment de son utilité. Il l'avait construit pour panser une blessure d'enfance. Il n'en avait jamais parlé à Émilie. Il avait peur qu'elle le regarde avec pitié.

— Mais est-ce que tu ne pourrais pas faire tes recherches ici, depuis la maison ?

— Et est-ce que tu ne pourrais pas sauver tes patients à distance, en passant tes mains par-dessus leurs photos ?

La soirée avait été une longue dispute, ponctuée d'excuses quand l'un d'eux sentait qu'il était allé trop loin. Le veau aux olives qu'Émilie avait cuisiné refroidissait en exhibant des ronds de graisse à la surface de la sauce à peine dérangée par leurs fourchettes. Franck avait fini par dire qu'il allait se coucher, qu'il travaillait tôt et qu'il avait eu tort (il ne pensait pas la dernière partie de la phrase). Il s'était glissé sous la couette, amer et furieux, laissant Émilie faire sa valise dans le salon. Il ne pouvait pas savoir que même quand elle gagnait la bataille, elle partait blessée, secrètement. Un peu comme les sangliers.

Il ne pouvait pas savoir que pendant qu'il s'endormait en maudissant les thèses en général et celles sur Donnell en particulier, elle prit une longue douche et pleura.

Elle comptait les vergetures et les plissements qui commençaient à parcourir son corps, à le redessiner, à le découper en territoires étrangers. Et elle pensait qu'elle arrivait à un âge où son physique la lâcherait petit à petit et que la société ne le lui pardonnerait que si elle avait un certain nombre de grossesses et d'allaitements pour l'expliquer. Parce que la mère était sacrée, d'une manière ou d'une autre. Mais qui pardonnait aux thésardes de trente-cinq ans les rides presque fantomatiques que révélait leur décolleté lorsqu'elles mettaient une robe d'été pour boire des apéritifs en terrasse ? Personne. Ni les hommes qui ne supportaient pas de constater l'obsolescence de leurs compagnes – à la fois terrifiés de réaliser que leur instinct de protection n'était d'aucune utilité face à la vieillesse et dégoûtés de voir le corps aimé devenir maison de sorcières –, ni les adolescentes que leur peau parfaite rendait cruelles et qui refusaient de se confronter à ce qu'elles seraient dans vingt ans.

Franck étudia dans son guide une carte des Hébrides extérieures qui se déroulaient en arc de cercle face à l'immensité de l'Atlantique, protégeant derrière leur mince bouclier l'île de Skye et la côte écossaise. Plus loin, à l'ouest, il n'y avait rien dans la grande masse bleue que les points minuscules de St-Kilda et de Soay. Les Hébrides étaient une dernière ligne de terre, fragile avant les vagues. Il tenta de prononcer à voix haute leur nom gaélique : Nah-Eileanan Siar. Un nom de monstre effroyable ou de prince barbare – il aurait aimé s'appeler comme ça, pensa-t-il. Émilie l'attendait là-bas, sur ce rond gris au sud de Barra qui n'était même pas assez large pour contenir son nom. Le « y » de Mirhalay trempait dans l'océan de papier.

Il se déshabilla lentement dans la chambre du Bed and Breakfast et jeta ses vêtements au pied du lit mauve, où ils vinrent recouvrir la famille de souris en peluche qui avait adopté dans sa chute une série de positions différentes : nez au sol, pattes en l'air, couchées sur le flanc, champ de bataille absurde. La présence de jouets dans une pièce vide d'enfants avait toujours quelque chose de triste.

Franck éteignit la lumière et rêva que son bateau coulait.

Peintures marines

« C'est une perte immense pour le monde du roman policier et Bantham House s'associe à la douleur des millions de lecteurs de par le monde qui voient disparaître un auteur de génie. »

Oliver BARNES, attaché de presse de Galwin Donnell, 10 juillet 1985.

L'eau était bleue et brune, sauf aux quelques endroits où des vaguelettes l'ourlaient d'un blanc sale, presque jaune. Sous les taches des oiseaux endormis et des algues, la mer dégageait une impression confuse de tristesse et de pourrissement.

Peut-être que cela n'avait rien à voir avec son aspect, peut-être était-ce simplement le fait de savoir que c'était la même eau qui avait patiemment lavé, léché, usé le corps de Galwin Donnell pendant des semaines.

Les ruisseaux de whisky que charriait son sang n'avaient probablement pas dégoûté les poissons de festoyer sur son corps, apporté par une lame de fond jusque devant les portes de leurs mystérieux palais de poussière et de coquillages. Est-ce que le whisky dans son sang avait pu saouler les poissons ? Est-ce qu'un poisson pouvait être ivre ?

Franck se posait toute une série de questions pour oublier qu'il était sujet au mal de mer.

Il se souvenait de la mort de Donnell, ou peut-être devait-on dire de sa disparition. Il avait huit ans. Sa mère écoutait la radio en épluchant des légumes et à l'annonce de la nouvelle elle avait poussé un petit cri, comme si elle s'était coupée. Franck avait cru qu'un membre de la famille venait de mourir mais il ne comprenait pas lequel. Est-ce qu'il avait déjà vu cet homme à Noël ? Ou à Pâques ? Et si ce n'était pas le cas, alors que pouvait bien leur faire sa mort ?

Ils étaient dans un village de vacances à ce moment-là. Et les deux resteraient liés pour toujours dans sa mémoire : la mort de l'écrivain et les petites maisons roses, toutes identiques sous le soleil de Provence. C'était l'été 1985. L'air chaud bruissait des discussions sur le détournement du vol TWA 847 et sur la fin de la grève des mineurs britanniques. Une nuit de juillet, Galwin Donnell s'enfonça dans la mer et ne reparut jamais. L'ironie du sort voulait que, deux mois plus tard, Robert Ballard retrouvât l'épave du *Titanic* abandonnée à huit cents mètres de fond, près de Terre-Neuve – prouvant ainsi que la mer rendait parfois par surprise certains des grands disparus qu'elle cachait. Mais depuis l'été 1985, la mer refusait de rejeter sur le rivage le corps de Donnell ou de le révéler à des plongeurs au détour d'une forêt d'anémones, quelque part où les poissons n'avaient pas d'yeux.

Certains cherchaient encore l'écrivain sur les plages des Hébrides pendant leurs vacances d'été, entre un château de sable et une pêche aux couteaux.

S'agissait-il d'un suicide ou d'un accident ? Galwin Donnell n'avait laissé aucune note derrière lui. Des spécialistes de son œuvre et certaines personnes qui l'avaient côtoyé – les « intimes du défunt », disaient les bouches peintes en rouge mat des journalistes – avaient été invités à donner leur avis. Il y avait eu quelques conspirationnistes pour crier à l'assassinat. Donnell, prétendaient-ils, était un auteur qui dérangeait en haut lieu. Non non, murmuraient les intimes dans un soupir, c'est la tristesse. Le cœur brisé. La douleur reste terrée après un chagrin d'amour. Elle est comme un déchet radioactif. Vingt ans après, elle émet encore de quoi pourrir le sang, les os, la moelle. C'est elle, disaient-ils, c'est elle qui a tué Donnell.

« Je crois que nous avons affaire à un homme qui a lutté pendant des années contre son envie de quitter une humanité dans laquelle il ne se reconnaissait plus ni frère ni sœur. C'était un de ces combats que personne ne peut gagner », déclara sur la BBC Helen Wright, une universitaire qui avait publié un ouvrage de référence sur les techniques narratives de Donnell.

Lorna, l'ex-femme de l'écrivain, avait reçu des menaces de mort. *Pute, tout est de ta faute.* Elle était partie vivre au Portugal.

Quelque part au fond de la mer, Donnell, nettoyé par les poissons jusqu'à la blancheur des os, se balançait sans bruit, au rythme des algues, loin de l'agitation de la surface.

Histoire de l'Oubli

« Regarde, dit Emily Rose en tendant
la main vers les branches d'arbre que
le vent cognait contre leur fenêtre
avec un bruit sourd. Regarde, mon
amour. La tempête. »

Galwin DONNELL,
Le Silence d'Emily Rose.

Mirhalay était une traînée sombre au milieu de
l'eau. Elle se détachait de la mer en une épaisse
galette grise, recouverte au sommet du glaçage de
son herbe. Le soleil traversait mollement le voile
de nuages par endroits et la lumière dessinait des
ronds dorés sur le dôme, des empreintes digitales
très légères qui bougeaient avec le vent.

Au sud, l'île était une forteresse de falaises et
de rochers étrangement rectangulaires qui jaillissaient de l'eau comme des pans de mur jamais
terminés ou des dents éparses dans une bouche
trop grande. Au nord, elle se fendait en deux et
offrait un chenal étroit qui permettait aux
bateaux de venir s'ancrer dans la baie. Il fallait
alors naviguer entre les parois escarpées jusqu'à
l'abri de la plage et ce n'était qu'une fois sorti de

ce chenal, une fois arrivé sur le sable, que le voyageur comprenait que Mirhalay était un endroit habitable.

De loin, quand on l'embrassait du regard, elle se montrait à la fois menaçante et minuscule, comme une maquette d'elle-même construite pour un film de pirates puis oubliée là. Son histoire était une longue succession d'oublis. D'habitants partis qui oubliaient de revenir. On avait fait trop de fois à Mirhalay le coup du paquet de cigarettes.

Il y a des endroits que les hommes abandonnent à cause d'une injonction pressante, d'un mauvais tour du sort ou de la nature. Ils vivent là, paisiblement, sourire aux lèvres, mais soudain surgit la guerre, un tremblement de terre ou la fin des ressources minières qui leur donnaient à tous un travail. Alors ils partent, ensemble, précipités, les valises jetées dans une charrette, une voiture, ou serrées sous un bras contre le flanc. Et quand ils arrivent en lieu sûr, ils songent avec nostalgie, avec tristesse parfois, à la petite ville qu'ils viennent de quitter, à la maison aux roses trémières ou à leur poste de télévision neuf – parce que l'abandon d'une ville ou d'un village n'est pas un phénomène du passé, réservé à une lointaine époque de chercheurs d'or où toutes les baraques étaient de bois et les hommes portaient des bretelles taillées dans le cuir de leur selle pour retenir de larges pantalons de toile. Aujourd'hui encore il y a de ces lieux, il y a de ces injonctions qui font qu'un hameau soudain devient fantôme.

Par exemple, l'île de Hashima, au large du Japon. On l'appelle l'« île-cuirassé » parce qu'elle ressemble aux vaisseaux de guerre blindés qui sillonnaient l'océan autour d'elle. Au début du XXe siècle, Hashima n'était rien, une sorte d'erreur dans la distribution des terres au moment de la formation du monde, un caillou inutile en face des côtes. Puis, pour les besoin en charbon de Mitsubishi, Hashima était devenue une ville-usine détenant le record mondial de la densité en habitants. Sur Hashima, pendant deux dizaines d'années, on ne pouvait pas se tourner sans rencontrer quelqu'un. Mais lorsque le pétrole a remplacé la houille, l'île a brutalement été renvoyée au rien, sans autre activité que le passage des typhons. Hashima sera une ville des années 60 toute sa vie. Un cadavre qui pourrit parce qu'on l'a laissé en plein air, sans avoir eu la décence de l'enterrer.

Il existe une deuxième catégorie de lieux fantômes : ceux que l'on abandonne sans motifs clairs, sans vraiment se l'avouer non plus. Ce n'est pas un exode que l'on peut dater. C'est long, ça s'étale mine de rien sur des décennies avant que la population n'ait le courage d'admettre que cet endroit est, a toujours été, une mauvaise idée. Il y a peut-être un vieux – dans les histoires il y en a toujours –, qui crie sans perdre la pipe qu'il a calée au coin de sa bouche qu'il est né ici, ses parents avant lui et leurs parents avant eux, et qu'il préfère y crever que d'aller vivre ailleurs. Mais c'est parce qu'il est vieux. Et qu'il veut réellement mourir. Les autres savent bien qu'il n'y a plus que les moutons qui peuvent se plaire ici.

Mirhalay est un cas particulier. Elle a connu à la suite les deux types d'abandon : le premier, nécessaire et brutal, le second, sournois et silencieux. C'est une île cuirassée, protégée par une armure d'impossibilité-d'y-vivre.

Son nom, en gaélique, signifie la Grande Île. Pourtant elle est de taille moyenne, il y en a beaucoup comme elle dans les environs de Barra et des Hébrides extérieures. Il y a toute une palette d'îles de couleurs et de formes différentes qui affleurent à la surface de la mer, parfois honnêtement mais parfois de manière plus sournoise, et les bateaux n'aiment pas naviguer par là, au milieu de cette famille d'îles trop soudées qui se met à leur chatouiller le ventre de ses rochers secrets et peut finir par les ouvrir en deux. Il n'y a que les pêcheurs les plus pauvres pour s'y être installés durablement.

Quand l'île est passée sous l'autorité du clan des MacNeil, la Dame qui était à sa tête à l'époque n'a pas jugé important d'aller la visiter. Elle est restée sur Barra, et peut-être quelqu'un a-t-il agité le doigt dans la direction de Mirhalay pour lui dire que là aussi elle avait des possessions – Oui, très bien, que font-ils ? Ils pêchent. Et ? C'est tout. Comme c'est charmant. Mais même en plissant les yeux, elle n'a pas pu voir le petit point vert et gris de Mirhalay se détacher de l'eau parce que la mer est mauvaise et que, dans ses remous, elle cache la fausse Grande Île et la cache si bien que, parfois, sur les îles autour, on peut passer des années sans y penser.

C'est ce qui est arrivé en 1723. Sur Versalay, une autre île de cette famille-là, un homme – admettons qu'il soit cordonnier – s'est réveillé un matin et a pensé : Tiens, je n'ai pas eu de nouvelles des gens de Mirhalay depuis un an. Pourtant c'est chez moi qu'ils font leurs achats. Chez eux il n'y a pas de cordonnerie. Alors il est sorti dans la rue et il a croisé un voisin à qui il a dit : « Je n'ai pas de nouvelles des gens de Mirhalay. » Et le voisin a répondu : « Moi non plus, pourtant c'est chez moi qu'ils viennent acheter leurs bouteilles, il n'y a pas de distillerie chez eux. » Ensuite, ils ont hélé un troisième homme, puis un quatrième avant de se résoudre à se rendre chez le bourgmestre. Vers midi ce jour-là, il était clair que personne, absolument personne sur Versalay, n'avait eu dans l'année passée de contact avec les habitants de Mirhalay et, vers deux heures, ils avaient décidé que quelque chose ne tournait pas rond.

Un bateau chargé de soldats partit le lendemain sur les ordres de la Dame pour aller s'enquérir de la santé des oubliés. Quand ils arrivèrent près de Mirhalay, la mer était trop grosse pour qu'ils puissent s'engager dans le chenal qui les mènerait vers l'intérieur de l'île. Ils envoyèrent dans une barque un jeune soldat nommé MacPhee.

Lorsque celui-ci posa le pied sur la plage, le silence était terrible. Parfois, même quand la nature déchaîne tous ses bruits (vagues, vent, oiseaux), on entend un silence qui glace : c'est l'absence de bruits humains. D'ordinaire, les habitants de Mirhalay repéraient de loin les bateaux venant de Barra et tâchaient d'être les premiers sur la plage pour apprendre les nouvelles, examiner les marchandises, revoir un visage connu.

MacPhee, on peut se l'imaginer, cria à plusieurs reprises : « Il y a quelqu'un ? » mais personne ne répondit. Il prit la route du Village. C'était son nom. Le Village. Lorsque l'on vit sur une petite île, l'absence d'urgence de dénomination et du plaisir qui l'accompagne, celui de réinventer les choses en leur donnant un nom, peut s'avérer extraordinairement déprimant. Sur Mirhalay, les choses n'existaient la plupart du temps qu'en un seul exemplaire et elles portaient donc le nom que le dictionnaire leur avait donné. Il y avait le Village, la Chapelle, l'École, la Plage, la Colline, la Prairie et – faible espoir – deux falaises de part et d'autre de l'île, mais pour cette raison elles s'appelaient tout simplement Falaise Nord et Falaise Sud. La vie sur Mirhalay manquait de poésie.

En 1723 cependant, l'absence de poésie n'était pas un problème, pas encore. Et MacPhee aurait dû voir des habitants, il aurait dû être *en train* d'en voir, maintenant qu'il approchait du Village.

Il n'y avait personne.

C'est à ce moment-là qu'il remarqua l'odeur. Ou peut-être qu'il vit directement un corps. Un cadavre desséché par le sel, écroulé à l'avant d'une charrette ou penché au-dessus d'un puits.

On ne sait pas vraiment ce que vit le jeune MacPhee au cours de son expédition solitaire sur l'île. On sait simplement qu'il en arriva à la juste conclusion qu'il n'y avait plus sur Mirhalay aucun être vivant. Ils étaient tous morts de la peste noire.

Il se précipita vers la plage et de là dans sa barque et une fois dans sa barque jusqu'au bateau, en proie à une panique absolue. Cela, on le sait par les soldats qui l'attendaient à bord.

— Ils sont tous morts ! Sauvons-nous ! cria le jeune MacPhee, toujours pagayant.

Sur le bateau, ils ne voulurent pas le laisser revenir. Ils dirent : « Tu es contaminé, MacPhee, tu nous tuerais tous. » Et ils repoussèrent sa barque du bout d'un bâton ou d'une rame, en essayant de ne pas trop respirer tandis qu'ils se penchaient vers lui pour l'empêcher d'atteindre le bastingage.

MacPhee resta sur l'eau, dans son embarcation que la mer secouait comme si elle avait le hoquet. Puis il se résolut à faire demi-tour et à regagner Mirhalay. Il se pensait déjà mort, condamné à se couvrir sous peu de bubons, et il ne voyait pas pourquoi continuer à marcher, à dormir ou à chercher de la nourriture dans les celliers. Il fit pourtant tout cela, mû par son instinct de survie.

Après un an, le clan des MacNeil de Barra décida qu'ils pouvaient s'aventurer sur l'île sans danger. Ils envoyèrent un nouveau bateau. Et les soldats trouvèrent MacPhee en arrivant. Il avait survécu.

Le Seigneur – la Dame était morte désormais – apprécia l'histoire d'endurance du jeune homme. Ou peut-être était-il un peu honteux. Il lui donna une partie de l'île en récompense. Celle-ci gagna son premier nom réel : désormais, une partie des prairies près de la falaise Nord s'appellerait le pré MacPhee. L'histoire ne dit pas s'il s'y installa. S'il y avait pris goût. Ou s'il s'empressa de retourner à Barra et ne revit jamais Mirhalay. Ne regarda même jamais dans la direction de Mirhalay.

Après MacPhee, le Village se repeupla lentement. Il connut des cris d'enfants dans la grande école blanche, des messes tonitruantes dans la chapelle, des bals le vendredi soir durant lesquels les garçons volaient des baisers aux filles qu'ils épouseraient plus tard, des fêtes du printemps où l'on tressait des guirlandes de fleurs, et même la visite d'un cirque qui vint, dit-on, sans ses animaux sujets au mal de mer. Il atteignit le nombre de trois cent quarante-huit habitants. Puis, au début du XXe siècle, il se vida de nouveau, sans besoin d'une épidémie ou d'une catastrophe naturelle.

Les habitants en avaient assez d'être coupés du monde. Parfois, la mer était si mauvaise qu'il fallait retarder d'un mois un départ vers Barra ou un retour vers Mirhalay. La vie était impossible. Dans les années 30, les gens commencèrent à partir, d'abord en prétextant des visites, une course à faire, des raisons de famille. Personne n'osait dire clairement qu'il abandonnait l'île et le Village. Alors les gens laissaient les meubles derrière eux et même deux ou trois choses consommables, pour donner l'impression que ce n'était que temporaire. Que l'on pourrait garder la maison pour les vacances. Peut-être que Mirhalay, pour les vacances, était un endroit charmant. Et puis, tout à coup, il resta certes des meubles et un jambon ici, des confitures dans le placard et une photo de mariage sur la table de nuit, mais plus personne pour les voir.

Pendant une vingtaine d'années – période que l'on désignerait par la suite sous le nom d'Oubli –, l'île ne fut qu'un territoire offert aux bêtes : moutons abandonnés par leur berger, cormorans aux corps sombres, phoques qui s'ébattaient sur la rive.

Il fallait être Galwin Donnell, cet animal de force et de solitude, pour vouloir accomplir en sens inverse le chemin de la déréliction et ramener la vie à Mirhalay. Lorsque l'écrivain décida, à la suite de son divorce en 1963, de s'exiler du monde, il se vit proposer par un ami – héritier du clan des MacNeil – ce caillou perdu que les hommes avaient oublié. Donnell accepta immédiatement. Le jeune duc d'Alberg appointa un gardien pour faire à nouveau de Mirhalay un endroit vivable, chasser les animaux qui avaient investi les bâtiments et dompter les végétaux partis à l'escalade des moindres pierres. Mais la vraie tâche du gardien, dirent les gens, c'était surtout de prendre soin de la dépression de Donnell. Le duc n'était pas sûr que l'écrivain aurait le courage du jeune MacPhee et survivrait seul sur Mirhalay. « Je voulais bien l'aider à fuir mais pas à se suicider[1] », déclara-t-il.

Sur l'île oubliée, Donnell put choisir parmi toutes les ruines. Il décida de s'installer dans la chapelle, une petite bâtisse située hors du village fantôme et à l'opposé de l'ancienne maison de saurissage qu'habitaient Cormag Morrison, le gardien, et sa famille. Ce devait être, au départ, un endroit de retraite provisoire, le temps que s'évanouissent la douleur et la colère de la séparation. Donnell y vécut finalement plus de vingt ans, jusqu'à sa disparition.

Il réussit, par sa simple présence, à faire réapparaître Mirhalay sur les cartes et dans les esprits. Même si l'île était toujours cachée par les vagues, les gens savaient désormais qu'elle était là. Ils n'étaient plus en mesure de l'oublier. Elle était l'île de Donnell, l'île de l'écrivain.

À la mort de l'auteur, l'ancienne chapelle que les disciples appelaient désormais le *writing shack* fut convertie en mémorial. Le duc tenait à rendre hommage à l'habitant le plus célèbre de Mirhalay. Il finançait également un programme en son honneur : les Journées d'études internationales sur Galwin Donnell. Elles se tenaient sur l'île tous les

---

1. Cité dans *Les Derniers jours de Donnell*, Arthur Revan, Cover & Welsh, Londres, 2009, p. 212.

trois ans, dans l'ancienne école. Et de temps à autre, un jeune chercheur était accueilli en résidence pour mener à bien son projet. Il était payé, logé, nourri et devait en échange consacrer une partie de son temps à l'organisation de la manifestation. Cette année-là, c'était Émilie.

L'épouse du Seigneur

« Non, il n'est pas ici. Il n'est pas
revenu. Il ne reviendra pas. Il est
mort. C'est tout. Il est mort et je voudrais qu'on me laisse tranquille. »

Lorna FOLEY,
interviewée par téléphone,
1er août 1985.

Émilie avait une capacité de concentration qui
pouvait être effrayante. Lorsqu'elle se plongeait
dans ses réflexions, elle était capable de faire
instantanément disparaître le reste du monde.
La seule chose qui ne disparaissait jamais – quel
que soit son degré de concentration –, c'était
Émilie elle-même. Elle ne se dissolvait pas dans
son intérêt pour un sujet, au contraire, elle existait face à lui, entrait en relation avec lui, forçait
– d'une certaine manière – le sujet à dialoguer
avec elle.

Il en résultait qu'Émilie entretenait avec les différents thèmes et auteurs abordés au cours de ses
études une relation intérieure et intime qui dépassait de beaucoup le degré d'investissement que
l'université était en droit d'attendre de ses cher-

cheurs. Elle n'en faisait pas étalage. Elle le cachait, même, derrière un abord sérieux et froid.

Nul ne pouvait soupçonner par exemple, à la vue des articles parfaitement référencés qu'elle avait publiés sur Galwin Donnell dans diverses revues de critique et de théorie littéraires, qu'elle gardait précieusement dans son portefeuille une photographie de l'auteur, prise à Édimbourg en 1961.

Sur cette image, Donnell a trente-huit ans. Il ne regarde pas le photographe ni l'appareil. Il fixe un point plus éloigné – peut-être Émilie qui contemple la photographie. Sur son front haut et large se dessinent des rides dont on devine qu'elles ont flotté là quelque temps, presque invisibles, avant de s'ancrer dans la peau. Il a les yeux d'un brun qui vire au noir, comme du café déjà passé. Sa barbe naissante raconte un rasage lointain dans une salle de bains qui manquait de lumière. Les narines sont gonflées, de part et d'autre de son nez épais et puissant. Il est beau. Ou du moins Émilie le trouve beau. Elle sait que d'autres le pensent simiesque, grossier. Pas elle. La photographie est dans son portefeuille depuis son entrée à l'université, en 1998. Elle s'est un peu abîmée.

Lorsqu'elle a soutenu sa maîtrise en juin 2003, Émilie a parlé clairement et avec élégance des processus de déformation du monde dans l'œuvre de Donnell – ce qu'elle a appelé pour l'occasion le « réalisme diabolique ». Le jury a apprécié la précision de ses formulations et la justesse de ses exemples. Émilie a gardé pour elle, tout au fond de son cœur dont la photographie n'est jamais bien éloignée, l'intime conviction que si elle avait connu Donnell en 1940, s'il l'avait rencontrée elle et pas Lorna lors d'une de ses permissions, elle aurait pu faire de lui un homme heureux – et il ne serait jamais mort avant d'avoir achevé *Le Pont des anguilles*. (Émilie pense que Donnell s'est suicidé. Elle ne peut pas se passionner pour un auteur qui aurait tout simplement *glissé* dans la mer par inadvertance.)

À Franck non plus elle n'a jamais parlé de cette conviction. Elle sait faire la part des choses. Mais elle entre en thèse comme on entre au couvent : pour devenir l'épouse du Seigneur.

Plus belle encore

« Les mouchetures brunâtres sur le mur de l'hôtel provenaient des mouvements désordonnés d'une chevelure poisseuse de sang. Comme si quelqu'un avait remué la tête en rythme sur sa chanson préférée, *après* avoir été violemment frappé au crâne par un instrument contondant. »

Galwin DONNELL, *Veines*.

L'agitation de Franck était déplacée dans le petit bateau qui approchait des côtes de Mirhalay. Chacun de ses mouvements nerveux lui attirait un regard sombre du conducteur. Entre le marin et son passager, il n'y avait aucune communication et cela ne faisait qu'accroître l'angoisse de Franck. Il aurait voulu pouvoir parler du nœud qu'il avait au ventre.

Il avait hâte et peur de retrouver Émilie. Les retrouvailles étaient un moment compliqué. Il arrivait si plein d'espoir, persuadé de la trouver encore plus belle que dans son souvenir. Pourtant, il savait que le tu-es-encore-plus-belle-que-dans-mon-souvenir ne fonctionnait que huit fois sur dix. Il restait deux occasions au cours desquelles ça ne marchait pas du tout. Émilie surgissait devant lui et il était déçu. Ses yeux étaient cernés d'une pâte bleutée, laissée par une fatigue qu'il n'aurait pas voulu voir, ses cheveux étaient plats, ou elle avait un bouton sur le front, juste au début du sourcil. Le bouton était minuscule, rose, et en soi – quand on y réfléchissait – n'avait rien de laid. Il n'occupait pas plus de deux millimètres carrés et pourtant il absorbait toute l'attention de Franck, semblait tuer la perfection du visage d'Émilie. Franck ne comprenait pas pourquoi de telles surprises arrivaient malgré l'amour.

La première fois qu'il l'avait vue, le 15 mars 2005, au milieu de la foule d'un concert, il avait été ébloui par sa beauté. Elle avait une peau incroyablement blanche qui paraissait argentée dans la lumière. Son long cou lui donnait des allures d'oiseau et semblait trop frêle pour supporter son visage rond et la masse presque inquiétante de ses épais cheveux bruns. On eût dit – ou du moins c'était ce qu'avait pensé Franck dans un accès de panique soudain et irraisonné – que ce cou délicat pouvait se briser à tout instant sans crier gare et que la lumière d'Émilie s'éteindrait alors, aussi brutalement qu'elle était apparue. Il avait ressenti le besoin immédiat d'aller jusqu'à elle et de l'entourer de ses bras, de la protéger de son corps, de faire en sorte que le public du concert ne puisse plus bousculer, avec une insouciance qui blessait Franck, qui lui paraissait incompréhensible, la beauté de cette fille qui ne s'appelait pas encore Émilie.

Quand elle avait tourné la tête dans sa direction (c'est-à-dire dans la direction du bar où son amie était partie chercher deux bières mais Franck n'avait pu l'interpréter autrement que comme sa direction à lui), il avait découvert ses yeux vert sombre à la couleur humide, comme fraîchement peinte, des yeux qui créaient une zone de silence et de lenteur en se posant sur vous. Ils étaient énormes. Dans un autre visage, ils auraient été effrayants. Le fait qu'ils se trouvent *justement* dans un visage qui les adoucissait, ou – pour le dire autrement – le miracle que les yeux d'Émilie aient trouvé le visage d'Émilie constituait, selon Franck, le socle, la condition et la preuve de sa beauté.

Le soir du 15 mars, ils s'étaient posés un bref instant sur lui et s'étaient animés d'une lueur, comme de la curiosité. « Vous ici ? » semblaient avoir demandé les yeux juste avant que la foule ne se referme, séparant Franck d'Émilie de façon presque douloureuse. Dès cette seconde, il avait été amoureux.

Franck était romantique, il le savait. Et il sentait bien tout ce qu'il y avait de ridicule à être affublé à la fois de son prénom médiocre et de sentiments surannés qui mêlaient l'amour, la mort et l'envol majestueux d'un cygne noir dans une confusion sublime. Il n'y pouvait rien. Il voulait que l'amour le fasse sortir de lui-même, qu'il soit une sorte d'épiphanie perpétuée, un arrachement, une mue.

Doucement, lui disait Émilie au début de leur relation avec un sourire gêné. Elle ne savait pas comment se comporter sous le regard intense et continu de Franck, un regard qui semblait avoir décidé (mais est-ce qu'un regard pouvait décider quelque chose ? se demandait-elle parfois) qu'elle était parfaite et qui lui réaffirmait son attachement à chaque seconde. Très vite, cependant, la manière qu'avait Franck de l'aimer lui avait paru être la seule digne de ce nom et elle avait commencé à considérer avec un peu de pitié les couples autour d'elle qui paraissaient n'être amoureux que lorsqu'ils en avaient le temps ou quand les circonstances propices se présentaient, de sorte qu'ils ne s'aimaient pas réellement, pensait-elle, mais qu'ils aimaient les circonstances en elles-mêmes, les occasions qu'ils avaient, par exemple, de sortir voir un film ensemble, ou de se faire beaux, ou de constater une fois de plus leurs goûts communs en matière de musique. « Franck, lui, m'aime *absolument* », disait-elle parfois à une amie, en ajoutant à l'adverbe des accents d'insistance, et l'amie esquissait un sourire ironique mais quittait le café troublée et envieuse.

Le soir du concert, les bousculades du public avaient finalement joué en faveur de Franck, le rapprochant d'Émilie jusqu'à ce que, la bière devenant plus forte que la peur, il trouvât le courage d'abord de danser avec elle puis de l'embrasser. Il gardait en mémoire l'enchaînement parfait de tous leurs mouvements jusqu'à ce que leurs lèvres se touchent, qu'il fasse glisser une main le long de son dos et que la course du monde se trouve presque suspendue par la beauté terriblement simple de ce baiser.

Quand le conducteur arrêta le petit bateau, à l'endroit exact où le jeune MacPhee avait accosté deux siècles et demi plus tôt, Franck sentit que son agitation confinait à la panique. Il fit dangereusement tanguer l'embarcation en se levant pour faire signe à Émilie qui l'attendait sur la plage. Il posa le pied sur la jetée de bois et le marin lui tendit ses sacs de voyage. Franck les prit sans penser à remercier, son attention tout entière tournée vers la mince silhouette d'Émilie, à quelques dizaines de mètres. Le bateau repartit aussitôt, dans le bruit sec et irritant du moteur.

En avançant sur l'embarcadère, Franck regarda sans réellement les voir les falaises disposées en cuvette autour de la plage de sable blanc et le petit escalier qui menait à leur sommet. La mer était calme. Protégée par la géographie du lieu, elle clapotait sous les pieds, d'un gris sombre qui tirait sur le vert. Franck aperçut du coin de l'œil un grand homme roux assis près d'une rangée de barques rongées par le sel. Il lui tournait le dos et n'avait réagi ni à l'arrivée ni au départ du bateau. La présence sur l'île d'un autre être humain le surprit, le choqua presque. La vie de l'homme roux lui parut d'une force étonnante, comme si elle exhalait ses effluves jusqu'à lui à la manière des parfums capiteux. À Paris, il pouvait coller sa peau à celle des autres dans un métro bondé sans les voir, sans ressentir la réalité de leur existence. Mais sur Mirhalay, l'extrémité de la plage n'était pas assez éloignée pour le protéger de la vie de cet étranger. Puis il se souvint qu'Émilie lui avait parlé d'un gardien qui résidait sur l'île. L'incongruité de sa présence s'atténua et l'homme roux devint une part du décor, presque aussi naturelle que le sable et les rochers.

Franck marchait lentement sur les planches disjointes, craignant de chuter maintenant, si près du but. Pourtant, il avait envie de courir. Il aurait voulu jeter les sacs et se précipiter vers

Émilie. Elle était encore trop loin pour qu'il sache de quel effet de retrouvailles il allait hériter. Il plissait les yeux pour mieux la voir. Quand il posa le pied sur la mollesse du sable, il sut.

Elle était plus belle encore que dans son souvenir.

La satisfaction de la faim

« C'était une époque de géants de la
littérature. Mais il n'y avait qu'un
génie, et c'était Donnell. »

Saul BELLOW,
propos rapportés par Alan Bloom.

Plus de vingt ans après sa mort, Galwin Donnell
continuait à trôner sur le monde de la littérature
policière et les ventes de livres avec la même arrogance, la même avance insultante sur ses condis-
ciples que de son vivant. En fait, il avait eu raison
de mourir. Si sa noyade avait été un suicide,
Donnell avait choisi le bon moment.

Il laissait derrière lui un lectorat qu'il n'avait
jamais eu le temps de décevoir : ses dix livres
publiés en trente ans avaient tous été des succès.
Mais surtout, il confiait à ses lecteurs, comme un
appel voué à résonner inlassablement, la fragilité
de son dernier roman qu'il était mort sans avoir
pu finir.

Le Pont des anguilles était caractéristique de la
dernière période d'écriture de Donnell. Après
avoir passé quinze ans sur l'île de Mirhalay, il
avait perdu son agressivité, son style s'était fait

plus calme, presque épuré. Certains de ses débuts de chapitre, disait Helen Wright, ressemblaient à des haïkus. Elle citait à l'appui : « Blanc de la neige sur les hautes branches d'arbre. Verre pilé au sol, des seringues. Manteau long avance sans bruit[1]. »

La nature avait par ailleurs pris une place plus importante dans son œuvre, alors que jusque-là Adrian Dickson Carr, le détective créé par Donnell, n'avait été qu'un rebut des grandes villes. « Il n'est jamais seul, l'homme qui peut en retourner à la simplicité de sa chair animale », déclamait le vieil aveugle de *La Plainte*. On sentait dans les derniers livres un désir de symbiose avec les éléments. L'eau, surtout, revenait de façon récurrente, cette même eau noire, bleue et jaune qui le boufferait finalement, l'offrirait aux enfants poissons. *Le Pont des anguilles* poussait encore plus loin ces nouveaux traits d'écriture. C'était quasiment du symbolisme, disait Wright. La dernière partie de son ouvrage s'intitulait d'ailleurs « Maeterlinck au commissariat ».

Donnell était mort sans finir *Le Pont*, promis à son éditeur pour le mois suivant, mais la révélation manquante, loin d'avoir amputé le livre, l'en grandissait davantage. On ne connaissait pas le nom de l'assassin, soit. Mais avant ce livre trop court, on ne connaissait pas non plus ce sentiment incroyable, cette soif qui prenait de la gorge au ventre, soif de savoir, béance laissée à jamais ouverte. La fin sans fin du *Pont* marquait la fin – brutale et définitive – de l'ère de la naïveté.

---

1. Galwin Donnell, *Mourir autant que possible*, Bantham House, Londres, 1982, p. 35.

54

« On n'attrape plus les assassins », écrivit dans une lettre ouverte[1] un haut gradé des services de police demeuré anonyme. Le texte détaillait l'absence d'intérêt de ses journées de travail : absence de grands méchants, absence de mystères, absence de monstres, banalité – mesquinerie ? – des crimes, affaires enterrées par manque de pistes, manque de moyens, erreurs de procédure. Il était bon de lire, pour la première fois, un roman policier sans dénouement. Car les polars habituels entretenaient les lecteurs dans l'illusion qu'il existait partout dans le monde des génies prêts à résoudre n'importe quelle affaire, alors même que les systèmes policiers et judiciaires affrontaient en réalité des monceaux de dossiers classés sans résolution aucune. « Le roman policier typique fait en sorte que l'intime conviction de l'enquêteur rencontre toujours la quantité de preuves nécessaires à l'étayer avant la fin du livre, regrettait l'auteur de la lettre. Malgré le réalisme des lieux, des personnages, et les excellentes connaissances qu'ont les écrivains des méthodes de la police, le roman policier typique se déroule donc dans un univers parallèle au nôtre. »

Dans une société en changement – « Pas d'idéaux mais des épaulettes », avait écrit Donnell –, *Le Pont des anguilles* trouvait un écho très fort. Les gens étaient prêts à oublier que la mort de son auteur était responsable de son inachèvement. Ils criaient au génie devant cette fin qui n'apportait pas de repos.

1. Commandant X, « On n'attrape plus les assassins », *The Guardian*, août 1985.

Les corps à mémoire courte

« — J'ai vu sa veste sur un rocher au
bord de la falaise quand je faisais mon
tour. Je l'ai appelé mais il n'y avait
personne. J'ai pensé que c'était
bizarre. Je suis allé à la chapelle. Mais
il n'était pas là non plus. J'ai appelé
encore. J'ai couru partout. Ça y est,
je me suis dit, il a pété les plombs.
— Vous voulez dire : il s'est suicidé ?
C'est à ça que vous avez pensé directement ?
— Ben... oui. Il n'y a pas grand-chose
d'autre à faire par ici. »

Témoignage de Cormag MORRISON
recueilli par la police de Barra,
juillet 1985.

La route qu'ils empruntèrent de l'embarcadère
à l'école était un simple sentier de terre au milieu
des herbes. Il n'y circulait aucun véhicule et
Franck et Émilie marchaient en suivant le déroulé
de sa ligne par pure convention car sur Mirhalay,
en fait, on eût pu marcher n'importe où.

La route, pourtant, avait causé des disputes et
des déchirements au siècle passé lorsqu'on avait

dû établir son tracé. Pour des raisons d'économie, on la voulait la plus simple et la plus courte possible alors que les bâtiments étaient disséminés partout où le relief permettait de s'abriter du vent. Il avait fallu trancher entre ceux qui seraient desservis par la route – symbole de modernité et espoir d'avenir – et ceux que l'on abandonnerait à leur étendue de verdure et de rocs. L'Oubli avait vidé l'île peu après qu'un consensus avait été établi et la route n'était jamais devenue plus qu'une esquisse, un signe de route vers des rêves plus grands. Partaient encore de la voie principale des pistes presque invisibles qui descendaient vers quelques ruines perdues dans l'herbe, en contrebas. Des pistes minces comme des ruisseaux asséchés et qui avaient été, il fut un temps, pour trois cent quarante-huit habitants le chemin du foyer.

Franck et Émilie marchaient si près l'un de l'autre que leurs hanches se cognaient. Ils se souriaient à chaque heurt. Ils ne parlaient pas beaucoup. Ils ne savaient pas quoi dire en premier.

Sitôt arrivés à l'école, ils firent l'amour dans la petite chambre où Émilie venait de passer trois mois.

Ce n'était pas l'explosion de désir, la chorégraphie parfaite dont ils avaient pu rêver mais sa réplique maladroite. Il était difficile pour Franck d'admettre que l'on pouvait si vite oublier le corps de l'autre, oublier comment le toucher instinctivement. Pourtant, il sentait que ses doigts se posaient à côté, hésitaient dans leurs caresses, ripaient parfois. Il écoutait, un peu perdu, la respiration d'Émilie, comme les commentaires audio accompagnant une carte qu'il ne savait plus lire. Il se concentrait sur cette respiration pour ne pas entendre la petite voix à l'intérieur de sa tête qui listait la succession de ratés minuscules et pourtant embarrassants. Il sentait un écart entre eux, un souffle, un décalage qui n'existait pas auparavant mais qui refusait désormais de disparaître, même lorsqu'ils se pressaient l'un contre l'autre, même lorsqu'il enfouissait son visage entre les jambes d'Émilie et tentait de se fondre en elle, glissant sa langue et ses doigts aussi profond qu'il le pouvait.

Il suffisait de trois mois pour que l'harmonie disparaisse, comme si les corps s'étaient reconfigurés dans leur solitude sans rien demander, bornés, hautains. Franck voyait presque autour d'eux les murailles qu'il fallait à nouveau abattre. Il s'arrêta un instant et se redressa pour regarder Émilie : il cherchait sur son cou, au creux de son bras, en haut de sa poitrine les grains de beauté familiers. Il posa ses doigts tremblants sur chacun d'eux puis ses lèvres, heureux de les retrouver à leur place. Les grains de beauté lui rappelaient qu'il connaissait ce corps par cœur. Émilie le regardait faire avec surprise, un peu impatiente. « Viens », murmura-t-elle en se tournant sur le ventre. Il entra en elle et jouit très vite, avec un petit grognement dont il eut honte.

C'était déjà fini. Il s'était préparé à ce moment pendant des heures (pendant des mois, en réalité). Et c'était déjà fini. Il en éprouva une sorte de sentiment d'injustice, le même, pensa-t-il, que doivent éprouver les gymnastes qui chutent lors de leur programme en compétition et dont la note finale ne reflète rien des années d'entraînement pendant lesquelles, tant de fois, ils ont accompli les figures à la perfection.

Émilie roula sur le côté et ramassa son tee-shirt au sol, prête à quitter le lit. Il la rattrapa par le bras et la tira doucement vers lui. En retombant sur le matelas, elle lui sourit avec un mélange de plaisir et de résignation.

Franck aurait voulu lui dire que cette première fois ratée n'avait aucune importance puisqu'il savait désormais qu'il voulait passer toute sa vie avec elle et faire l'amour avec elle chaque jour, jusqu'à ce que les ratés se perdent dans le compte infini de tous leurs rapports sexuels. Mais il était trop tôt pour tenir ce genre de discours, alors que les murailles des corps étaient encore debout. Il préféra attendre.

La deuxième fois fut plus réussie. Il vit les yeux d'Émilie s'embrumer lentement, comme si elle les avait tournés vers l'intérieur d'elle-même, puis il nicha sa tête dans ses longs cheveux bruns et ne vit plus rien, entendit seulement leurs respirations rauques qui se mêlaient et s'accéléraient, puis le sang qui bourdonnait à ses oreilles jusqu'à couvrir tous les autres bruits tandis que les ongles d'Émilie imprimaient des croissants de lune rouges le long de sa colonne vertébrale, s'enfonçaient de plus en plus profond dans sa peau avant de se relâcher enfin.

Alors qu'il s'assoupissait, fixant une fissure au plafond que sa fatigue faisait danser, heureux d'une manière confuse, repu davantage qu'heureux, épuisé et repu (ce qui pouvait ressembler à une forme de bonheur), mais en réalité encore un peu inquiet au ventre, Émilie se leva et s'assit à son bureau où elle ouvrit son ordinateur portable. La lumière bleue de l'écran envahit la pièce, interrompit la somnolence de Franck.

— Qu'est-ce que tu fais ?
— Je dois envoyer un mail.

— Fais-le demain.

— Je ne peux pas.

Il entendait le petit cliquètement agaçant du clavier, reconnaissant le bruit plus sourd et plus profond de la touche espace qui le ponctuait.

Même ici, sur cette île plusieurs fois oubliée, il y avait Internet. Cette pensée l'angoissa sans qu'il pût tout à fait se l'expliquer. Il passait pourtant une bonne partie de sa vie en ligne, y achetait des produits qui lui étaient livrés sans qu'il se fasse aucune idée de leur provenance, adressait la plupart de ses questions à des moteurs de recherche et confiait son éducation à Wikipédia. Mais Internet ne lui apparaissait comme une ouverture bénéfique au monde que lorsqu'il l'utilisait depuis l'abri familier de son appartement. Lorsque la connexion se trouvait ailleurs, il en tirait la désagréable impression qu'Internet le *suivait*. Parfois même qu'il le persécutait.

— Tu écris à qui ?

— Martin Stafford. Il m'aide beaucoup depuis que je suis ici.

À la manière dont elle prononçait son nom, il sentit qu'il aurait dû le connaître. Pourtant, il était incapable de s'en souvenir. Les gens que lui citait Émilie formaient dans sa mémoire une galaxie lointaine et confuse qui refusait de porter des visages. Il continua :

— Pour ta thèse ?

— Oui. Pour l'organisation des Journées d'études, aussi. En général, en fait, il m'aide beaucoup.

Était-ce un reproche qu'il percevait dans sa voix ? Il espérait, ou aurait voulu espérer, qu'elle avait oublié leur dernière dispute. Depuis qu'elle était partie, ils n'en avaient pas parlé. Franck redoutait d'abord le sujet sur Skype, pendant l'une de ces conversations où leurs images et leurs voix se figeaient soudain. Des phrases entières disparaissaient sans qu'il sache si elles avaient pu atteindre Émilie dans le fouillis des grésillements. Sur Skype, pour éviter un désastre, ils ne traitaient donc jamais de sujets graves. C'était une zone neutre, une sorte de Suisse virtuelle.

Il fouilla dans les poches de son pantalon tombé au pied du lit et envoya un texto à Leïla pour savoir comment allait le braqueur qu'il avait accueilli à Bichat la veille de son départ. Le geste partait plus du besoin de s'occuper que d'un intérêt réel. Franck s'apercevait qu'il ne s'était jamais senti aussi détaché de l'hôpital qu'ici sur Mirhalay.

Émilie était plongée dans la rédaction de son mail. Il pensa au nombre d'heures qu'il avait passées à la regarder dans la même position, dans le même carré de lumière projeté par l'écran, au fil des années. Deux ou trois heures par jour, chaque jour, depuis huit ans. Peut-être pas les trois premières années où ils n'habitaient pas ensemble, mais au moins les cinq dernières. Ce qui faisait environ quatre mille heures pendant lesquelles il l'avait regardée comme un voyeur tapi dans un autre appartement. Quatre mille heures à la trouver belle. À l'attendre.

Il marcha jusqu'à la fenêtre. Le bruit de la mer lui parvenait toujours, au loin, comme le bruit blanc d'un appareil électronique qui ne fonctionnerait pas tout à fait. Il ne devait exister aucune part de l'île où l'on puisse échapper aux vagues, au ressac. Franck pensa à l'immensité de l'Atlantique qu'il avait observée sur la carte la veille au soir et qui se trouvait désormais dehors, tapie dans l'obscurité.

Sa propre Némésis

« Il faisait si froid qu'Adrian rêva
d'ours polaires. »

Galwin DONNELL,
Mourir autant que possible.

Le premier roman de Donnell où apparaissait
Adrian Dickson Carr avait paru en 1947. À l'époque,
et malgré le succès grandissant de Raymond
Chandler de part et d'autre de l'Atlantique, il était
mal vu de lire des romans policiers. Le genre
semblait toujours appartenir aux pulp magazines,
à des publications que l'on fourrait dans une
poche de veste après les avoir parcourues dans
le métro. Et si le roman policier commençait peu
à peu à s'en éloigner par une recherche louable
de qualité, l'intelligentsia littéraire ne manquait
jamais de lui rappeler ses origines, les bas-fonds
dont il s'était extrait et qu'elle n'était pas prête à
lui pardonner. Aussi, dans les salons, avait-on
surtout parlé cette année-là d'*Au-dessous du vol-
can*, que par ailleurs personne n'avait eu le temps
ni le courage de finir. Mais chacun jurait qu'il
s'agissait d'un chef-d'œuvre : Malcom Lowry y

dépeignait l'humanité et le Mexique d'une manière extraordinaire. Et après s'être extasié une heure ou deux sur l'incroyable faune de chiens noirs et de vautours ou sur le délire éthylique qui transparaissait *physiquement* dans l'écriture, ces mêmes admirateurs des belles lettres rentraient chez eux et lisaient Galwin Donnell avec toute l'excitation des lecteurs qui s'imaginent que le rond lumineux de leur lampe de chevet les coupe du reste du monde.

A.D. Carr était un détective à part. Parce qu'il n'était pas intelligent. Parce qu'il n'était pas beau. Il n'était pas non plus journaliste, ni alcoolique, ni particulièrement doué pour la course. Il avait peu de repartie et jamais de révélation. C'était un paria complet. Donnell avait été le premier à assumer le côté malsain des personnages de super-détectives. Alors que les polars canoniques se contentaient de leur prêter un peu d'arrogance et de misanthropie qu'une intelligence hors du commun suffisait à faire pardonner, lui écrivait clairement qu'il fallait être tordu pour passer sa vie à remuer la merde des autres.

Adrian Dickson Carr, le détective que tout un lectorat suivit avec passion pendant trente ans, souffrait d'addiction sexuelle. Il passait ses nuits d'insomnie dans les rues, les bars, les clubs, les laveries automatiques, les parcs pour enfants, une myriade d'endroits louches, non pas pour des raisons professionnelles, mais parce que le manque le forçait à rester là. Il aurait préféré dormir tranquillement, il aurait préféré lire le programme télé, confiait-il dans *Le Silence d'Emily Rose*. Il ne le pouvait pas.

Ses enquêtes lui servaient de palliatif. Elles étaient tout ce qu'il avait pour penser à autre chose. Pour ne pas faire de conneries. Parce que l'addiction de Carr risquait de l'entraîner tout droit dans les pires conneries. « Il était évident qu'avec sa gueule et son haleine si épaisse que l'on croyait pouvoir compter ses dents en respirant son souffle, il ne suffisait pas à Adrian de payer un verre à une fille pour espérer qu'elle apaise sa faim. Il devait trouver d'autres solutions », écrivait Donnell dans *Addiction(s)*. Parfois, les enquêtes lui suffisaient à peine et le lecteur suivait sa descente dans la nuit, jusqu'au bord du gouffre. Dans *Le Temps des morts*, par exemple, Carr se retenait difficilement d'avoir des relations sexuelles avec une mineure. Une vraie mineure. Une mineure *mineure*. Quand le livre avait déclenché un scandale, Donnell s'était contenté de répondre que son héros partageait ses tendances pédophiles avec d'illustres artistes, comme – par exemple – William Burroughs à qui personne ne demandait ce qu'il allait faire à Tanger. L'auteur américain, par ailleurs déjà haï de toute la frange conservatrice, s'ajouta quelques ennemis en ne démentant pas. Interrogé plus tard sur cette dénonciation, Donnell expliqua qu'il détestait Burroughs. Non pas pour ses tendances sexuelles dont finalement il ne savait pas grand-chose, mais parce que le type était blindé d'héroïne à longueur de journée et croyait faire de la littérature en pratiquant le copier-coller[1].

---

1. Dans une partie de la même interview immédiatement censurée par l'éditeur du journal et qui n'avait refait surface qu'au début des années 2000, Donnell ajoutait : « La seule chose un tant soit peu intéressante que Burroughs ait jamais faite de sa vie, c'est d'avoir joué à Guillaume Tell avec sa femme un soir qu'il était ivre et de lui avoir collé une balle en pleine tête. Le reste à mon avis n'est que le long geignement d'un fils à papa. »

Les admirateurs de Burroughs haussèrent les épaules en y voyant la position classique du romancier populaire qui s'aigrit du manque de reconnaissance des élites.

L'œuvre de Donnell n'avait pas, à cette époque, passé la porte des universités. Il faudrait attendre pour cela les dernières années de sa vie et le travail de défrichage impressionnant mené à Oxford par Helen Wright puis par Martin Stafford. Eux les premiers, bravant la frontière qui tenait le polar hors des murs de l'institution, surent s'emparer des romans de Donnell et mettre leur originalité, leur force et parfois même leur avant-gardisme à la lumière.

L'addiction sexuelle d'Adrian Dickson Carr était passionnante parce qu'elle constituait le pire ennemi du détective. Un ennemi intérieur. Il n'avait pas besoin d'une Némésis comme Holmes pouvait avoir besoin de Moriarty. Il *était* sa propre Némésis. Son propre monstre. Ce que les critiques s'accordaient désormais à trouver résolument moderne. D'une certaine manière, expliquaient-ils, A.D. Carr était le précurseur de héros comme Dexter ou Yosuke Kobayashi dans *MPD Psycho* : à la fois enquêteur et criminel.

L'homme dans la cheminée

« Grimpe à cheval, dépêche-toi,
Et galope jusqu'à la ville.
La mer qui monte t'attrapera,
déjà elle a pris mes chevilles,
déjà elle s'agrippe à mes bras.
Grimpe à cheval et n'attends pas. »
  Comptine traditionnelle des Hébrides.

Émilie était réveillée. Franck ne le savait pas, ne le sentait pas. Il dormait et rêvait peut-être qu'Émilie dormait à côté de lui.

Mais elle était éveillée, alerte, les yeux ouverts sur le noir. Le vert de ses yeux devenu noir dans la nuit pleine de Mirhalay.

Elle écoutait le bruit, comme un hurlement, qui résonnait dans la vieille école. Les premiers soirs, elle avait eu terriblement peur de ce bruit. Elle était restée allongée, incapable de bouger même un doigt, comme si tout son corps avait été paralysé à l'exception de son cœur et de son diaphragme, eux-mêmes menacés par la pétrification.

Le bruit, c'était le vent dans la cheminée dont le conduit passait à l'intérieur du mur de sa chambre avant de s'ouvrir au rez-de-chaussée dans une bouche de briques noircies. Mais, bien sûr, pour Émilie les premiers soirs, c'était Donnell.

Lorsque le vent se levait, elle ne pouvait pas dormir. Elle écoutait Donnell hurler et glapir dans la cheminée. Elle avait pitié de lui. Elle pensait que sa voix, lors de son dernier cri, s'était élevée au-dessus des flots pendant que son corps sombrait et qu'ainsi corps et voix avaient été séparés brutalement. Lui quelque part au fond de la mer, elle perdue à la surface de l'île. La voix ne se tairait que lorsque l'on aurait retrouvé son hôte. Elle rentrerait se rouler en boule dans la carcasse et quitterait la cheminée d'où elle terrifiait Émilie.

Parfois, Émilie lui chantait des berceuses, assise sur son lit dans la nuit si noire qu'elle lui mangeait les yeux. Mais ce soir-là, elle ne voulait pas réveiller Franck. Il dormait. Il rêvait, sans doute, qu'elle était endormie elle aussi, profondément, à côté de lui. Et peut-être en effet qu'elle dormait déjà au moment où elle commença à imaginer de quelle manière elle pouvait bien dormir dans le rêve de Franck.

Promesses

« J'ai cette impression, dit Adrian, que
si je cessais de me contrôler en
société, je finirais rapidement par
frapper tous les hommes en pleine
face et saisir toutes les femmes par les
seins. Je ne sais pas si c'est une réalité
ou un simple cauchemar. Je n'ai jamais
eu le courage d'essayer. J'ai toujours
une once de contrôle sur moi-même. »

Galwin DONNELL, *La Plainte*.

L'ancienne école de Mirhalay, qui servait désormais de quartier général aux Journées d'études
internationales, était un long bâtiment blanc
recouvert d'ardoises très épaisses, comme si on
les avait simplement enfoncées dans le toit après
les avoir ramassées au bord du chemin. Ses murs
larges, coiffés d'un plafond relativement haut au
rez-de-chaussée mais anormalement bas au premier étage, laissaient sur les vêtements des traces
poudreuses. Le sol était carrelé de dalles de terre
cuite, en partie descellées, qui crissaient sous les
pas en jouant de quelques millimètres. Sans
l'ombre de Donnell pour planer au-dessus de

l'endroit, les invités du colloque auraient probablement trouvé le logement miteux, voire insalubre. Mais l'ombre était là. Elle était partout. Elle aurait donné du charme aux plus pauvres recoins de l'île.

En bas, il y avait un grand réfectoire, un salon, un bureau et deux chambres aménagées dans ce qui avait été des salles de classe et dont les grandes fenêtres s'ouvraient sur la terrasse comme une trahison de l'intime. En haut, six petites chambres, toutes identiques, presque monacales. Celle d'Émilie se trouvait au bout du couloir, sa fenêtre donnait sur la mer. Elle jouxtait une salle de bains dont la peinture s'écaillait et où les taches d'humidité sur les murs dessinaient les cartes d'autres îles.

En face, dans l'ancienne cour de récréation, deux dépendances du même aspect – murs blancs, toits noirs, décoration absente – multipliaient les couchages offerts aux membres des Journées d'études. L'une d'elles, croyait savoir Émilie, avait été une infirmerie, et l'autre le logement de l'instituteur.

Franck aimait faire lentement le tour des endroits où il arrivait. Essayer d'y lire quelque chose des précédents occupants ou de ceux qui avaient aménagé le lieu. Lorsqu'il était invité chez des gens, il passait un temps très long à détailler les titres de leur bibliothèque, cherchant à se forger une idée de leur personnalité à partir de ces données. Et quand Émilie et lui s'étaient installés dans leur premier appartement (un minuscule deux-pièces, au 50, rue Albert-Thomas), ils s'asseyaient parfois dans le canapé du salon et ne faisaient rien d'autre que regarder en souriant le lieu qu'ils habitaient désormais ensemble, un lieu qui leur *parlait* d'eux et de leur couple, à la fois dans les vêtements mêlés sur les dossiers de chaises, les photos punaisées sur les murs et les odeurs de lessive, de sexe, de toasts et de cigarette qui se confondaient jusqu'à n'en former plus qu'une qu'ils avaient identifiée comme la leur, comme étant l'odeur de leur histoire ou de leur être double.

Mais ici, dans l'ancienne école de Mirhalay, le décor était silencieux. Le duc avait pu conserver une certaine activité sur l'île en créant les Journées d'études mais il n'avait pas pu y préserver la *vie*. C'était ce que l'enfilade de pièces racontait à Franck. Il tourna autour de l'école puis de ses dépendances. La bruine emplissait l'air depuis les premières heures du matin, elle l'épaississait presque. Elle se déposait sur les vêtements, sans paraître avoir la force de les traverser au premier abord. Pourtant, après avoir parcouru les alentours, Franck se sentit trempé et alourdi.

Il aperçut, sur le petit muret qui bordait la cour, une abeille qui se traînait péniblement d'une pierre à l'autre. Il s'arrêta pour l'observer. Elle était peut-être en train de mourir. Mais elle lui était si étrangère que Franck était incapable de distinguer les signes de l'agonie de ceux – admettons – du réveil ou de l'engourdissement dû au froid. Il aurait voulu l'aider à avancer plus vite mais il ne savait pas où elle allait. Il pensa à Timothy Tradewell dans *Grizzly Man*, un documentaire de Herzog qu'il avait regardé avec Émilie. Tradewell était si amoureux de la vie sauvage que la vue d'un bourdon mort accroché à une fleur suffisait à le faire fondre en larmes. En voix off (avec son accent si reconnaissable et que Franck trouvait effrayant), Herzog énonçait calmement qu'il considérait quant à lui que la vie était un chaos destructeur où l'éphémère triomphe du Bon tenait du hasard et parfois du miracle. Émilie avait déclaré à la fin du film : « Tu es Timothy et moi je suis Werner. » Il avait éclaté de rire. Pendant quelques semaines, ils s'étaient appelés ainsi. *Timothy ? Oui mon petit Werner.* Et puis la plaisanterie avait cessé de les amuser, ou bien ils avaient trouvé d'autres surnoms (en huit ans, ils en avaient eu beaucoup mais aucun n'était resté). Il abandonna l'abeille à regret sur le muret, dans la petite pluie invisible de Mirhalay, et regagna l'école.

Émilie était au téléphone lorsque Franck entra dans la chambre. Il l'embrassa dans la nuque et elle le chassa d'un signe de la main avec une grimace désolée.

— Il est insupportable, ce type, dit-elle en raccrochant, il ne veut vraiment pas aider.

— Qui ?

— Le gardien de l'île, expliqua Émilie, il doit aller chercher les invités du colloque en bateau sur Barra mais il n'arrête pas de protester contre les allers-retours... Quel connard !

Elle émit un rugissement étouffé et suraigu, avant de se saisir à nouveau du téléphone. Franck préféra s'éclipser au rez-de-chaussée où il pourrait cacher son désœuvrement.

Il s'installa dans un fauteuil du petit salon et écouta encore le bruit distant de la mer, feuilletant un livre de Donnell qui se trouvait à portée de main.

En attrapant çà ou là un mot, parfois une phrase, il se demandait ce que les gens – Émilie, en fait – trouvaient à Donnell, à la triste sécheresse de son univers. Un écrivain, selon Franck, avait pour tâche de mettre son pouvoir d'invention au service d'un agrandissement du monde au lieu de s'acharner à le rétrécir. Or Donnell lui donnait toujours l'impression de décrire un monde qu'il aurait vu de trop près, et sans amour. Il avait l'écriture d'un dépressif myope. Franck repensait à ses propres débuts de romans, des sagas qui couvraient des continents imaginaires et attribuaient à chaque personnage une part de magie en adéquation avec ses ambitions.

Montre-moi ta puissance, Saroumane !, ainsi commençait un de ses premiers textes, librement inspiré du *Seigneur des anneaux*. Ce n'était évidemment pas très bon – Franck en était conscient – mais il y avait tout de même dans cette phrase d'ouverture la promesse de sortilèges et de batailles. Un tel début ne pouvait pas être entièrement mauvais. On eût dit que chez Galwin Donnell aucun personnage n'avait de puissance à montrer, ni même de collection de timbres. Ils avaient tous été dévalisés par la vie et se traînaient de page en page comme des clochards du bonheur. Franck reposa *Veines* sur l'accoudoir de son fauteuil. Non sans fierté, il se dit que l'auteur en lui ne pouvait s'accorder avec Donnell – et que, malgré l'inachèvement systématique de ses œuvres, il lisait toujours en tant qu'auteur.

En début d'après-midi, il croisa les premiers intervenants et savoura le fait d'être là depuis plus longtemps qu'eux, de connaître déjà les escaliers, les couloirs, de partager une chambre avec Émilie qui, au fil des trois mois, y avait créé un désordre tout personnel. Il n'était pas *chez lui*, certes, mais se sentait suffisamment à l'aise pour agir en hôte. Les nouveaux arrivants, eux, paraissaient gênés. Ils se saluaient timidement, tentaient de se reconnaître en se basant sur les photos du programme qui leur avait été envoyé. Franck souriait à la ronde et se plaisait à imaginer que ces gens le prenaient pour l'un des conférenciers. Il aida galamment une vieille femme à monter sa valise au premier étage.

Alors qu'il redescendait, il vit Émilie entrer dans l'école avec un homme brun d'une cinquantaine d'années que sa haute taille obligea à se plier en deux en passant la porte.

— Je vous présente celui qu'on ne présente plus, dit Émilie dans un rire nerveux que Franck détesta instantanément, l'incroyable Martin Stafford.

Les quelques universitaires qui erraient dans le couloir après avoir posé leurs bagages sourirent avec émotion. Il y eut des applaudissements timides.

Franck se souvint soudain de tout ce que portait ce nom, prononcé de façon détachée par Émilie la veille au soir. Martin Stafford, professeur de littérature à Oxford, ou Cambridge – une de ces grandes universités que Franck ne connaîtrait jamais –, était devenu une figure publique au début des années 80. Pendant qu'il écrivait sa thèse sur Donnell, Stafford avait commencé une correspondance avec l'auteur dans le but de le persuader de lui montrer ses brouillons (Stafford, fait rare dans l'université anglaise, était convaincu de la validité de la critique génétique), et après quelques mois d'une relation épistolaire, il était soudain devenu l'ayant-droit de Donnell.

« Puisque ça vous intéresse tant, aurait écrit celui-ci, vous pouvez tout avoir. Ça m'est égal. Je n'aurai pas d'enfants et je préférerais donner mes droits à un chien que de prendre le risque qu'ils tombent entre les mains de Lorna, ou de ces étrangers vulgaires qui se disent mes frères et sœurs[1]. » La presse s'était emparée des faits avec passion, y voyant tous les éléments d'une *success story* propre à séduire son public. Des rumeurs avaient même évoqué un film possible. Les journalistes avaient longuement décrit la stupéfaction du jeune étudiant (Martin Stafford à vingt ans), reclus dans sa chambre de bonne, affamé, insomniaque, totalement dévoué à l'exégèse des livres de Donnell, et qui recevait soudain ce cadeau somptueux. Ils avaient aussi souligné le côté mystérieux de l'affaire puisque après l'envoi des documents officiels, l'auteur n'avait plus répondu ni aux protestations de Stafford ni à ses remerciements. Il s'était à nouveau muré dans le silence. Enfin, ils avaient insisté sur le fait que cette manne providentielle n'avait en rien détourné Stafford de la ligne qu'il s'était tracée et qu'il avait à la fin de sa thèse continué – « humblement », écrivaient certains – une carrière dans l'enseignement.

Dans la réalité, il n'y avait jamais eu de chambre de bonne (les parents de Stafford avaient une maison confortable à côté de l'université), ni de privation de nourriture (la mère de Stafford faisait très bien la cuisine). Quant à l'humilité du professeur désormais en charge du département de littérature à Cambridge, elle était contestée par certains qui

---

1. Cité dans *Galwin Donnell, entre nihilisme et passion*, Martin Stafford, Nick Hern Books, Londres, 2002, p. 77.

trouvaient que sa manière de hausser les épaules en murmurant « *Sic transit gloria mundi* » masquait mal le plaisir qu'il éprouvait à être devenu l'un des personnages de la légende donnellienne. Même ses détracteurs, cependant, reconnaissaient que Stafford était un chercheur brillant et que les trois livres qu'il avait publiés sur Donnell restaient, à ce jour, inégalés.

L'homme qui se tenait dans le couloir de l'école, tout près d'Émilie, dégageait une aura magnétique, comme seule peut en donner une confiance si absolue qu'elle ne s'entache d'aucune arrogance.

Franck, à le regarder, sentait sa gorge se serrer et il ne savait pas si c'était de l'admiration ou de la jalousie. Stafford était le genre d'hommes dont il aurait pu dire dans son enfance : « Je veux être comme lui quand je serai grand. » Mais il était déjà grand et il n'était pas Stafford, et dans ce simple état de fait se dessinait l'ombre cruelle d'un ratage ou d'une injustice.

Alors que les universitaires formaient spontanément une ligne pour serrer la main du professeur, Franck préféra remonter l'escalier jusqu'à la chambre du premier étage. Lorsqu'il eut refermé la porte derrière lui, le cœur battant la chamade, il s'y adossa en inspirant profondément. Les voix du rez-de-chaussée ne formaient plus qu'un brouhaha qui se fondait dans le bruit permanent des vagues. Franck ouvrit sa valise et vérifia dans la doublure que le petit paquet s'y trouvait toujours. Il le fit rouler entre ses doigts. Il espérait trouver prochainement un peu de cette confiance qui émanait de Martin Stafford et avoir le courage de l'offrir à Émilie à la fin des Journées d'études.

La pierre noire

Les doigts disparus sous les pinces des crabes et les bouches suceuses des poissons en juillet 1985 avaient emporté avec eux la lourde bague noir et or qui ne quittait jamais l'auriculaire de Donnell. La bague *était* Donnell, ou du moins sa métonymie. Elle appartenait à son corps, symbole de son corps, au même titre que ses cheveux bouclés ou ses larges dents.

Sur le plateau de la bague, ornée d'une pierre noire, on lisait D. Ce n'était pas pour Donnell, contrairement aux apparences, mais pour Charles Altamont Doyle, un peintre inconnu et alcoolique qui rêva quelque temps de la gloire et fit forger cette chevalière en 1850 par un bijoutier d'Édimbourg, en prévision de jours fastes qui ne vinrent jamais. Il la légua à son fils Arthur qui devait quant à lui atteindre une renommée internationale. Charles n'eut pas le temps de s'en réjouir. À l'époque où Arthur publiait *Une étude écarlate*, il était déjà interné pour dépression et épilepsie à Sunnyside, où il dessinait de manière obsessionnelle des comètes sur le point d'entrer en collision avec la Terre et des maisons en flammes. Sir Arthur Conan Doyle – puisque celui-ci poussa la gloire au point d'être anobli – avait porté cette bague pendant près de soixante ans. Dans son cabinet d'ophtalmologie dont, dit-il, aucun patient ne passa jamais la porte, elle avait frotté et caressé les pages des manuscrits de Sherlock Holmes. C'était pour cette raison que Galwin Donnell avait montré un tel désir de la porter à son tour. La bague du plus grand, du meilleur d'entre eux.

Elle avait été vendue aux enchères à Sotheby's en 1951, en même temps que le stylo-plume de l'écrivain et une lettre envoyée à son éditeur. Le stylo aurait probablement été plus symbolique pour un auteur comme Donnell mais celui-ci se focalisa tout de suite sur la chevalière et l'obtint pour cinquante mille livres. C'était à peu de chose près la somme des droits qu'il avait perçus pour *Addiction(s)*, son premier succès – la première histoire du détective Carr qui ne le trahirait jamais et assurerait à tous ses romans des ventes impressionnantes – : cinquante mille livres dépensées pour se procurer la bague d'Arthur Conan Doyle, créateur de Sherlock Holmes.

Le geste de Donnell fut interprété de manières diverses. Certains le voyaient comme une marque de dévotion et d'amour envers le père du roman policier. On trouvait fabuleux qu'à trente-quatre ans le jeune Galwin Donnell attache moins d'importance à gagner de l'argent qu'à s'inscrire dans la filiation littéraire d'Arthur Conan Doyle. Il avait fait en sorte que l'aspect commercial de la littérature – ses droits d'auteur – retourne à l'amour de la littérature, s'enthousiasmaient ses lecteurs.

D'autres étaient moins convaincus de la beauté du geste. Selon eux, c'était un coup porté à Doyle plus qu'une déclaration d'amour. Galwin Donnell montrait d'une façon arrogante et brutale que le succès d'un seul de ses livres lui permettait financièrement de s'approprier le passé de Sir Arthur Conan Doyle. C'était sa puissance, sa supériorité que Donnell affirmait dans cet achat. Il tuait le père, avait déclaré un psychanalyste.

Quelles qu'aient pu être les raisons qui l'avaient poussé à se procurer la chevalière, il ne l'avait jamais quittée par la suite. Elle apparaissait sur toutes les photos que l'on connaissait de lui. Quand il avait commencé à avoir de l'arthrite, son doigt s'était boursouflé autour du bijou, masquant presque l'anneau. Seul surgissait le « D » gravé dans la pierre noire. Un journaliste lui avait posé un jour la question : « Dormez-vous avec ? » et Donnell avait répondu : « Demande à ta mère[1]. »

Mais la chevalière était désormais perdue, enfouie tout au fond de l'océan ou dans l'estomac étroit d'un poisson dévoreur de cadavres. À moins que quelqu'un ne la lui ait enlevée, murmuraient les conspirationnistes, avant de lui enfoncer la tête sous l'eau.

Dans le musée consacré à l'auteur sur Barra – l'un des nombreux petits musées dépourvus de collection qui avaient fleuri à la fin des années 80 et qu'il aurait été plus approprié d'appeler *boutiques*, en réalité –, à côté du port d'où l'on embarquait pour Mirhalay, on vendait des répliques de cette bague sur lesquelles le « D » était remplacé par un large choix d'initiales. Elles traînaient par dizaines dans un bac qui jouxtait la billetterie.

1. Interview de Galwin Donnell par Peter Spencer, *By the Book* n°25, Édimbourg, 1963, p. 18.

Franck avait hésité un moment en attendant le marin qui le conduirait sur l'île, cherchant rapidement des yeux un anneau marqué d'un E. Puisqu'il comptait dire à Émilie qu'il ne la quitterait plus jamais, il pouvait le faire avec une bague (avec une bague *en plastique*, car dès lors il serait protégé par l'aspect minable et drolatique de son cadeau, celui-ci pouvant n'être, en cas de refus, qu'une plaisanterie idiote). Sa future déclaration s'était lestée d'une babiole qui lui avait coûté 7,50 livres et qui patientait désormais au fond de sa valise.

La Cène

« Il n'y avait personne. Il n'y avait pas
de meubles non plus. En fait, il était
impossible de croire que cet endroit
ait jamais été habité par un quel-
conque être humain. Une bâche en
plastique ondulait depuis un coin de
la pièce principale jusqu'à ses pieds. »

Galwin DONNELL,
Ne pas être/être encore.

L'ouverture des Journées d'études internationales sur Galwin Donnell n'aurait officiellement
lieu que le lendemain. Mais ce soir-là, déjà, les
invités dînaient tous ensemble dans le réfectoire.
Ils étaient assis autour d'une longue table au plateau rendu poisseux par de nombreuses couches
de vernis. Leurs visages flottaient au-dessus des
assiettes blanches, comme une fanfare d'instru-
ments dépareillés, sans harmonie d'ensemble.

Il y avait Solange Théveneau, professeur de littérature comparée à la Sorbonne, premièrement
spécialisée dans l'étude des littératures africaines
mais qui s'intéressait à la thématique des démons
intérieurs et au vocabulaire de l'exorcisme chez

Galwin Donnell. Car il était évident pour elle que l'addiction sexuelle d'Adrian Dickson Carr était traitée d'un point de vue religieux et animiste très éloigné de la médecine ou de la psychanalyse. Ce à quoi Philipp Anderson, de l'université du Michigan, cheveux blancs disparaissant des tempes en fins triangles, ne pouvait que s'opposer – lui dont les recherches traitaient justement de la lecture lacanienne de Donnell. Ils n'étaient donc pas assis côte à côte.

Il y avait Judith Maroon, professeur de *gender studies*, demi-lunettes aiguës et figure sans âge, qui parlait de l'avancée du transgenre et du recul du féminisme à son voisin, Markus Mann, un criminologue de Berlin que son ventre tenait éloigné de la table.

Il y avait Anton Likiewicz et l'une de ses étudiantes, dont on disait qu'elle était sa maîtresse.

Il y avait Martin Stafford, que la politesse avait poussé à refuser la place qu'on lui offrait en milieu de table mais vers qui se tournaient tous les visages, déséquilibrant ainsi les conversations. Chacun de ses rires réorientait les têtes, arrêtait les échanges.

Il y avait Émilie, mal à l'aise dans une robe verte que Franck ne l'avait jamais vue porter, plaisantant sur l'enseignement au collège avec une vieille femme à sa gauche – Patricia Blacksmith, l'éditrice anglaise qui avait refusé le premier manuscrit de Donnell.

Il y avait Alec MacMillan, un poète écossais originaire de Barra, dont on ne comprenait guère la présence et qui répondait aux questions qu'on lui posait sur Donnell en évoquant son propre parcours ou son dernier recueil. Il était la caution locale ayant permis d'obtenir des fonds de la région.

Il y avait Arthur Revan, auteur des *Derniers jours de Galwin Donnell*, une biographie très controversée, hautement polémique – notamment en ce qui concernait la manière dont Stafford avait obtenu les droits de l'œuvre de Donnell. Il était entouré de deux professeurs italiens en costumes sombres, gênés de cette proximité qui leur donnait l'impression d'appartenir à un clan ennemi. Ils tentaient de l'accepter en arborant un vague air de défi qui ne convainquait personne.

Il y avait un groupe d'étudiants en littérature, venu de l'université d'Édimbourg et qui constituait le public des Journées d'études.

Il y avait Franck, piteux et minuscule, tentant de se faire oublier.

En bref, et pour donner quelques chiffres, vingt-cinq personnes étaient réunies sur Mirhalay pour dix jours – à raison de deux communications par jour, suivies de discussions argumentées – et il sortirait de cet événement, comme à chaque fois, les *actes* du colloque, une sorte de Bible donnellienne de quatre cents pages qui irait grossir les rayons des bibliothèques universitaires desquels elle serait empruntée régulièrement et toujours avec respect, un livre sobre, beige et noir, qui s'ajouterait aux volumes similaires des éditions précédentes de sorte que, groupés ensemble sur une étagère, ils ressembleraient à autant de petites pierres tombales dans un cimetière où le seul mort était Galwin Donnell, enterré encore et encore, à quelques centimètres à peine de sa tombe précédente, par des fossoyeurs dont on oubliait les noms alors que le sien se répétait à l'infini sur les stèles d'admiration que lui élevaient les participants aux Journées d'études.

Les plats voyageaient d'un bout à l'autre de la grande table, laissant des gouttes de sauce rougeâtre sur la nappe. Les pichets de vin d'abord intouchés s'étaient eux aussi mis en mouvement et ils tournaient désormais sans s'arrêter, comme pour échapper aux regards qui les suivaient de verre en verre. Personne ne voulait rater l'occasion de regagner son département et de pouvoir y dire : « J'ai vu X, bien sûr il est brillant mais la crise cardiaque le guette. » Ou bien : « Y n'est plus que la moitié du chercheur qu'il était depuis qu'il a commencé à boire. » Ou encore : « K est une vraie truie, à croire qu'elle ne vient aux colloques que pour la nourriture. » C'était un dîner de fausse convivialité où les paupières à demi closes en signe de béatitude laissaient passer des yeux aux aguets.

Ils se connaissaient tous de vue ou de nom mais n'auraient jamais la familiarité d'amis de longue date. Ils se battaient pour planter des drapeaux de conquérants sur le même territoire : l'œuvre de Galwin Donnell (dix romans auxquels s'ajoutaient quelques nouvelles peu étudiées et un recueil d'entretiens), un cadavre littéraire offert en pâture à leurs études, à leurs esprits analytiques, à leurs méthodes de dissection.

Malgré la dignité de leurs cheveux grisonnants, des éclats de leurs lunettes, de leurs vestes en étoffe épaisse, ils avaient des réflexes d'adolescents, jaugeant la valeur de leur coin de table et rêvant d'être installés ailleurs, près de Martin Stafford ou – en guise de consolation – de ses opposants déclarés, comme Revan. Personne ne voulait reconnaître qu'il n'était qu'un second couteau.

Ils parlaient en notes de bas de page sans que la conversation révélât jamais le *corps* du texte. Ils se reprenaient sur des détails de parution, se référaient à des articles qui paraissaient découper le monde en minuscule collage de numéros publiés, de bibliographies commentées et d'annexes. Ils parlaient comme des fourmis : « Vous n'êtes pas sans savoir... », « Si vous vous référez... », « Et j'en veux pour exemple... ». Il était impossible à Franck de suivre les citations lancées à travers la table. Il sentait qu'il se jouait quelque chose de passionnant, d'excitant pour tous les dîneurs. Il le voyait à leurs visages échauffés, à leurs sourcils levés, à la bouche entrouverte d'Émilie. Il l'entendait dans les voix qui se soulevaient comme la houle. Mais il ne comprenait pas les règles du jeu et toute la conversation lui faisait l'effet d'une langue étrangère. Il aurait voulu pouvoir se pencher vers Émilie et lui chuchoter à l'oreille des plaisanteries sur l'assemblée – Philipp Anderson surtout l'amusait, avec son involontaire coiffure de science-fiction. Mais il savait qu'elle n'aurait pas le sourire complice qu'il espérait. Il gardait donc ses blagues pour lui, baissant la tête pour cacher son amusement. Il jouait avec une fourchette qu'il laissa tomber plusieurs fois sur le sol, comme un enfant trop agité.

Il entendit, au moment du dessert, la vieille éditrice demander à Émilie ce que faisait son compagnon et Émilie répondre, après une hésitation infime, qu'il était docteur. Il ne cria pas que c'était faux.

À la fin du repas, Judith Maroon proposa une balade avec un enthousiasme accru par le vin. Les dîneurs se levèrent et mirent leurs manteaux dans un camaïeu mouvant de brun, de noir et de vert.

Dehors, la brume était tombée sur l'herbe rase et la bruyère, une mince couche de brume qui se superposait à la végétation basse, le vent empêchant tous les éléments de grandir.

À peine passée la porte, les groupes cherchaient à se reformer autour des éléments dominants. Des écrans de téléphones portables brillaient dans la nuit, éclairant le chemin. Franck se tenait un peu à l'écart.

— Ce qui serait beau, dit Solange Théveneau, ce serait d'aller tous ensemble au *writing shack* pour rendre hommage à Donnell. Vous ne trouvez pas ?

Le groupe émit un murmure d'approbation. Émilie fit quelques pas hors du chemin pour cueillir une fleur sauvage qu'elle poserait sur la stèle. Plusieurs personnes l'imitèrent. L'étudiante d'Anton Likiewicz se coupa les doigts sur une tige trop effilée. Martin Stafford l'aida galamment. Ils ressemblaient à une classe de collégiens sortant étudier la botanique après avoir sifflé quelques bouteilles de bière derrière le gymnase. Il y avait des petits rires et au moins deux des étudiants écossais marchaient de travers.

— Émilie, dit Stafford en revenant sur le chemin, donnez-moi une cigarette.

Elle fouilla dans son sac, à la grande surprise de Franck. Émilie avait en effet arrêté de fumer depuis deux ans. (En théorie, Franck aussi avait arrêté de fumer depuis deux ans. En pratique, il se contentait de ne plus fumer dans leur appartement).

— J'ai dû les oublier, dit-elle nerveusement.

— Ô le temps béni où les femmes françaises avaient toujours des cigarettes…, gémit Martin Stafford.

Solange Théveneau en profita pour lui tendre son paquet de Dunhill. Stafford en prit une avec un sourire contrit.

— Quand était-ce ? demanda Solange.

— Quoi donc ?

— Ce temps béni.

Stafford éclata de rire :

— Par chance, cela correspondait au temps béni où le cancer n'existait pas encore tout à fait.

Ses mots parurent lui rappeler soudain quelque chose. Il mit la main sur l'épaule d'Émilie :

— D'ailleurs, où est votre docteur, Émilie ? Il ne fait pas de promenade de santé avec nous ?

— Je ne sais pas, répondit-elle en regardant autour d'elle un peu inquiète, peut-être qu'il est allé se coucher.

Franck réalisa alors qu'il était dans la pénombre. Les téléphones n'éclairaient pas jusqu'à lui. Il hésita un moment à se montrer mais l'idée qu'il n'avait pas à accompagner ces gens jusqu'à la chapelle – qu'il n'avait même pas à *s'en excuser* car Émilie avait déjà pris acte de son désistement – lui inspira un soulagement immédiat. Ce n'était pas tant d'être exclu des discussions qui lui pesait, réalisa-t-il, c'était au contraire le risque qu'on lui demande d'y prendre part. Son orgueil se révulsait à l'idée qu'il s'y montrerait idiot. Devant Émilie. Devant Émilie qui venait de le promouvoir au rang de docteur comme si elle avait honte de lui.

Il partit marcher dans la direction opposée, le long de la falaise Sud. Quand il arriva à l'endroit où l'île s'arrêtait brutalement au-dessus de l'eau, il vit l'homme aux cheveux roux qui se trouvait sur la plage au moment de son arrivée. Celui-ci fumait une cigarette, les jambes dans le vide, et fit signe à Franck de s'approcher.

— Un problème avec le beau monde ? demanda-t-il avec un sourire goguenard.

— Pas vraiment ma place, dit Franck en s'asseyant à côté de lui au bord de la falaise.

— Qu'est-ce que vous faites d'habitude ?

— Infirmier.

Pas docteur, non. Il se demanda pourquoi il n'avait pas rectifié le mensonge d'Émilie et dut s'avouer que c'était parce qu'il avait eu honte, lui aussi, en présence de tous ces universitaires et ces scientifiques de renom – et pour la première fois de sa vie – de ne pas faire un métier plus valorisant. Il *croyait* pourtant à la nécessité de la patience en médecine (patience qui était la vertu de l'infirmier), il croyait au vieux sens des mots « guérir » (protéger) et « soigner » (s'inquiéter), que les médecins avaient depuis longtemps oubliés, mais ce discours qu'il avait tant de fois tenu avec chaleur lui avait paru dérisoire autour de la grande table, comme s'il n'avait été qu'une justification, et il s'était tu. Il eut honte de sa honte. À côté de lui, l'homme roux hocha la tête, l'air appréciateur.

— Vous avez déjà vu un homme mourir ?

— Pardon ?

L'autre fit un signe de la main pour signifier que ce n'était pas important.

— Et vous ? demanda Franck.

— Moi, je suis le gardien.

Franck se rappela l'aversion d'Émilie pour cet homme. Il eut le réflexe de vérifier derrière lui qu'elle n'était pas là. Leur conversation lui semblait délicieusement interdite.

— Qu'est-ce que vous gardez ?

— Je ne sais pas bien. Les moutons. L'île. Les universitaires...

Franck eut un petit rire.

— Ils se battraient sinon ?

Il pouvait se l'imaginer. La table du dîner transformée en champ de bataille. La dignité envolée. Les rancœurs qui remontaient d'un coup : *mon* étude, *mon* poste, *mes* subventions. Énucléation à la fourchette. Carotides sectionnées. Jets de sang. Ils avaient tous lu et relu des polars violents. Ils devaient savoir comment faire mal.

— Ils se jetteraient dans la mer, plutôt. Pour imiter Donnell. Ou si cet imbécile de Martin Stafford le leur demandait. Tous, d'un coup. Ça, je suis prêt à le parier.

— Vous le connaissez bien ? Stafford, je veux dire.

Franck posa la question avec une timidité de groupie. Pendant le dîner, il avait lancé beaucoup de regards en coin au professeur. Le gardien haussa les épaules.

— Oh non, je ne connais personne ici. Personne ne me voit.

— J'ai un peu le même problème, reconnut Franck.

— Jock, dit le gardien en lui tendant la main, Jock Morrison.

— Franck.

Il était joyeux. Il venait de rencontrer quelqu'un dont le prénom lui faisait oublier le sien.

Un trou à la place
des souvenirs fondateurs
Journées d'études – Philipp Anderson

Philipp Anderson commença sa communication en soulevant un paradoxe : pourquoi la vie de Donnell avait-elle donné lieu à tant de publications alors même que son *absence* dans les romans de l'auteur aurait justement dû suggérer qu'elle n'était d'aucun intérêt pour aborder l'œuvre ?

Après un instant de silence, il enchaîna avec une nouvelle série de questions :

– Comment se fait-il que nous voulions que cette absence soit significative et singulière ?

– Pourquoi demandons-nous au silence de révéler plus que la parole ?

– Quelle est la vie que nous voulons découvrir en abordant Donnell de façon biographique ?

– Qu'est-ce qui a constitué la vie réelle de Donnell ? Les quarante-cinq premières années qu'il a passées parmi nous dans le monde, ou au contraire les vingt-deux dernières qu'il a cachées ici, sur Mirhalay, sans aucune des composantes dont le biographe se repaît à l'ordinaire ?

Il marqua à nouveau un temps, un silence si serein et si affirmé que Franck put imaginer une seconde que le psychanalyste allait quitter nonchalamment son pupitre et venir s'asseoir dans le public pour réfléchir à ses propres questions.

Mais l'orateur reprit la parole, avec un petit sourire, et parla d'une cristallisation de l'intérêt sur l'enfance – une enfance dont on ne savait rien par les livres ni par les interviews, c'est-à-dire rien par Donnell lui-même, une enfance que l'on avait obtenue *de seconde main* par des témoignages, des documents, voire des objets qui avaient aidé à la rebâtir :

— Donnell a grandi à Gairloch, une petite ville côtière où son père pêchait le saumon et où sa mère « ne faisait rien qu'avoir des enfants », selon les mots d'une voisine. La fratrie Donnell était vaste, en effet : sept enfants dont Galwin était l'aîné. Sept enfants dans une maison minuscule,

(Powerpoint, slide 1, la maison)

on peut imaginer le grouillement permanent de la vie, les piaillements, les pleurs, les rires aussi. Mieux vaut les imaginer qu'espérer en *savoir* quelque chose : vous ne trouverez aucune scène de la sorte chez Donnell. Il décrit un monde sans enfants. Certains de ses personnages en ont eu, certaines femmes accouchent ou sont enceintes, les relations sexuelles sont nombreuses mais cela n'aboutit jamais à la *présence* d'enfants dans les romans. Il existe, si l'on peut dire, chez Donnell une reconnaissance du phénomène biologique de la reproduction mais aucune dimension de parentalité ou de famille.

Pourtant, l'on sait que dans sa jeunesse, il ne s'est pas exclu de sa famille : il y a joué son rôle. Tout d'abord de façon économique, puisque, après avoir quitté l'école, il a aidé son père en repérant dans les rivières les alevins qui apparaissaient au printemps et qui, quelques années plus tard, deviendraient les smolts argentés qui dévalaient vers la mer. « C'est quand ils ont deux ou trois ans, explique-t-il dans une étrange interview donnée au magazine *Géo* en 1958, qu'ils mémorisent leur rivière, l'endroit où ils reviendront ensuite chaque fois pour se reproduire. »

Mais Galwin s'est aussi investi de manière affective dans cette famille. Il s'est notamment beaucoup occupé de son jeune frère Robert dont les témoignages s'accordent à dire qu'il était mentalement fragile. (De quelle manière, cela n'a pas été déterminé. Les gens de Gairloch n'étaient guère portés à étudier la psychiatrie, semble-t-il.) Selon Moira, la benjamine de la fratrie, Robert agaçait beaucoup leur mère parce qu'il « ne voulait jamais rien faire comme les autres » et elle se montrait particulièrement dure avec lui (i.e. : « Elle le battait avec le manche du balai »). Galwin prenait toujours la défense du petit garçon, même lorsque celui-ci était dans son tort, ce qui entraînait des disputes terrifiantes entre sa mère et lui, allant régulièrement jusqu'à la violence physique, au bris de mobilier et nécessitant parfois – le père étant généralement au pub – l'intervention des voisins.

On peut, selon moi, trouver la trace de ces rapports familiaux dénaturés à *un seul endroit* dans l'œuvre de Donnell, à savoir le bref chapitre du *Silence d'Emily Rose* dans lequel Carr se rend pour la première fois chez un analyste. Celui-ci, naturellement, pousse le détective à parler de sa mère et Carr nie agressivement se souvenir de quoi que ce soit. Donnell écrit alors : « Comment aurait-il pu partager avec ce petit homme vil la seule vision qu'évoquait en lui le mot *mère* ? Celle du trou de sa bouche s'ouvrant pour hurler son nom avec une haine qu'il ne s'expliquait pas. » Tout est là, bien sûr, dans cette phrase qui conclut une scène par ailleurs presque comique. Tout : la mère comme trou, donc comme machine reproductrice, la mère comme cri et violence, et aussi (surtout !), dans ce « *qu'il ne s'expliquait pas* », la reconnaissance qu'il y aurait dû y avoir de l'amour, que, malgré tout le dédain dont Donnell a fait preuve envers sa mère, la haine n'apparaît pas comme un sentiment normal : elle est une surprise et une aberration, elle est *douleur*.

Ici, Philipp Anderson eut un geste vif du tranchant de la main, un geste de triomphe. On y était. Dans le saint du saint. L'endroit où, par sa parole, Donnell pouvait redevenir un enfant triste, pouvait avoir dix ans et pleurer. Le geste d'Anderson était celui d'un escrimeur ouvrant de sa lame un fruit en deux pour présenter sa chair secrète à l'assistance.

— On ne s'étonnera pas, reprit-il plus calmement – presque attendri –, que le jeune Galwin ait eu envie de quitter ce foyer surpeuplé et cette mère-ogresse. Ce qui peut sembler surprenant, en revanche, c'est qu'à dix-huit ans il choisisse l'armée pour le faire. Et ce qui étonne encore davantage, c'est qu'il parvienne, à ses côtés, à y faire incorporer son jeune frère Robert dont rien ne nous dit que les troubles mentaux se soient allégés. On voit les deux garçons ici

(Powerpoint, slide 2, les frères Donnell)

dans leur uniforme, une semaine après leur enrôlement. Ils ont l'air heureux. Enfin, Galwin a l'air heureux. Et peut-être que Robert l'est aussi mais qu'il a une autre manière d'être heureux, peut-être que *ne pas sourire* est sa manière d'être heureux, cela on ne peut pas le dire. Les premières années dans l'armée sont une période bénie. Dans les quelques lettres que Donnell envoie chez lui – toutes adressées à Moira, pas à leur père ni à leur mère –, il parle avec enthousiasme de sa vie à la base, du goût qu'il éprouve pour la discipline (incroyable ! L'homme qui dix ans plus tard créerait l'anarcho-nihiliste Adrian Dickson Carr) et surtout des amitiés nouvelles qu'il y noue. C'est dans l'armée que Donnell fait la connaissance d'Edward Evans,

(Powerpoint, slide 3, Edward Evans)

« un homme si extraordinaire, écrit-il à Moira, qu'il me fait penser qu'il est le seul homme véritable à la surface de notre planète et que je n'ai fréquenté jusque-là que des chiens et des porcs ». Des chiens et des porcs, notez bien les termes choisis. C'est Evans qui pousse Donnell, le fils de pêcheur qui faisait l'école buissonnière, à lire – une activité qu'il trouvait jusque-là « molle, ennuyeuse et réservée aux femmes ». C'est Evans qui lui prête *En avoir ou pas* de Hemingway qu'il citera désormais comme un maître, et *Le Bruit et la fureur* qu'il ne cessera jamais de relire « parce qu'on n'y comprend rien ». C'est Evans, au bout du compte, qui nous fournira par son journal les plus beaux témoignages sur l'homme que fut Donnell.

Tous les trois, Galwin, Eddie et Rob – dont les troubles empirent peu de temps après son enrôlement si l'on en croit Evans –, boivent énormément, parlent beaucoup, provoquent parfois des bagarres (dont Galwin doit tirer les deux autres, qui sont de piètres combattants) et draguent les filles. Même le déclenchement de la guerre ne parvient pas à entamer leur enthousiasme. « ENFIN ! », écrit Galwin à Moira dans une lettre qui ne comporte que ce mot, « Ça nous semblait être la chose à faire », commentera placidement Evans.

Pendant une permission à Londres, en 1940, Galwin rencontre Lorna, une jeune actrice de théâtre qui gagne sa vie en chantant dans un bar fréquenté par les soldats. Lorna vient d'un village voisin de Gairloch. Il semble que la coïncidence suffise à les pousser dans les bras l'un de l'autre. On peut dire qu'à ce moment-là, Donnell se pense au sommet de sa vie, de sa puissance, de sa masculinité. Il écrit à Eddie Evans, basculé quelques mois plus tôt aux Renseignements : « J'ai une femme aux cheveux de feu, un frère à protéger et un ami à qui écrire. Je ne vois pas ce que je pourrais vouloir de plus, à part enfoncer un de ces cierges colossaux qu'il y avait à l'église de Gairloch dans le cul du petit Hitler. »

Une femme. Un frère. Un ami. Il perdra les trois. Cela prendra plus ou moins de temps mais il les perdra tous les trois. Comment dès lors s'étonner que *la vie* – au sens où nous entendons d'ordinaire le mot – ne soit pas présente dans l'œuvre de Donnell ?

En juin 1944, Galwin et Robert Donnell prennent part au débarquement sur les côtes françaises. Dans la terrible confusion de l'attaque, Robert meurt avant même d'avoir pu atteindre la plage. Galwin Donnell ne mentionnera jamais cette perte tragique. Il ne parlera même jamais de la guerre dans ses livres : pas un seul soldat, pas un vétéran, rien, le néant. L'analyse la plus juste que l'on puisse faire de ce silence, je crois, c'est celle que nous offre une fois de plus le délicat Evans : « Galwin n'a jamais écrit sur ça parce qu'il pensait qu'il n'avait pas le droit. Il pensait qu'en ayant survécu à la guerre, il n'avait pas réellement vécu la guerre. Vivre la guerre, ça voulait dire y mourir. Comme le pauvre Rob. »

Chaque traumatisme majeur dans la vie de Donnell ne peut donc se lire qu'en creux dans ses romans, qui constituent une sorte de traduction négative de la vie. Ici, c'est bien le silence qui parle le plus, c'est par l'absence que l'on mesure l'intensité de la douleur. Et l'on en revient encore à cette image tirée d'*Emily Rose*, à *ce trou s'ouvrant sans cesse, plein d'une haine qui ne s'explique pas*, ce trou qui est la métaphore même de la vie, ou plutôt du rapport à la vie, puisque la vie de Donnell, si l'on veut la chercher dans son œuvre, ne s'y montrera que par son absence, que par le trou qu'elle y laisse.

Réalité de la fiction

Il est étrange de penser que sur Mirhalay un mort (Galwin Donnell) ou un personnage de fiction (Adrian Dickson Carr) a tout autant de réalité d'existence, si ce n'est plus, que les vivants qui se trouvent de l'autre côté de la mer. Barack Obama, par exemple, ou la mère de Franck.

Il est difficile de déterminer laquelle des deux affirmations suivantes est la plus vraie :

– les gens de Mirhalay n'existent pas pour le reste du monde.

– le reste du monde n'existe pas pour les gens de Mirhalay.

Bien sûr, les deux pourraient être vraies mais cela impliquerait deux disparitions simultanées quoique alternatives d'endroits différents, et Franck trouve cela trop compliqué.

Les âmes avalées

« Il n'y a pas de soif qui puisse se taire
en l'homme. Besoin de chair, besoin
d'attention, besoin de violence, besoin
de consolation... également insatiables. Le maudit les cumule tous,
porc-chien de la société. »

Galwin DONNELL, *Addiction(s)*.

Ils descendirent jusqu'à la falaise Sud puis
remontèrent par l'est, sur les plages noires.

Il n'y avait pas de sable de ce côté de l'île. Les
galets roulaient sous leurs chaussures, énormes
et bosselés, avec des cliquetis sonores.

— Regarde le phare, dit Émilie.

Il répondit « oui », platement. L'odeur des
algues qui pourrissaient entre les pierres était
entêtante. Il n'osait pas parler. Il sentait les mots
se bousculer dans sa tête, dans sa bouche, sa
gorge, le trop-plein de mots qu'il n'arrivait pas à
mettre en ordre. Il savait qu'Émilie lui consacrait
ses dernières heures, que bientôt elle ne pourrait
plus être avec lui, être *à lui*. Cet éloignement avait
déjà commencé la veille, mais après cette promenade sur la plage il deviendrait total. Le stress

de sa communication la dévorerait entièrement. Émilie laissait le champ libre à l'angoisse depuis qu'elle s'était aperçue que tout combat était vain. Elle s'offrait même à l'angoisse, en espérant que cela la ferait passer plus vite. Bientôt, il la regarderait de loin, sans pouvoir l'atteindre. Il essayait donc de se concentrer sur le moment, d'en accroître l'intensité. Mais il lui semblait qu'au lieu d'y parvenir, il s'en détachait davantage chaque fois qu'il se sommait d'être présent. La phrase revenait en boucle dans sa tête : sois *présent*. Son cerveau ne faisait que suivre machinalement le rythme des mots sans obéir à l'injonction réelle.

Le soleil disparaissait derrière quelques nuages, au-dessus de la mer. La lumière était grise et mobile.

— Je ne sais pas si c'est beau ou si c'est effrayant, dit Émilie en prenant la main de Franck.

Au contact de sa peau, les phrases qu'il avait en lui se déchaînèrent de plus belle, tentant de sortir en désordre, l'envie de lui dire : « Fuyons maintenant, ou enfermons-nous dans la chambre pour les jours à venir, j'ai peur à chaque fois que tu t'éloignes, j'ai peur que tu ne reviennes plus. Chaque fois que le lien entre nous se distend, c'est comme s'il se brisait, c'est chaque fois pour toujours. » Il les contint avec peine et prétendit avoir vu une anguille dans un des bassins d'eau de mer. Il lâcha la main d'Émilie pour se pencher sur la flaque et guetter les reflets.

Elle s'accroupit au-dessus des galets et chercha des coquillages, des conques entières à l'intérieur rose. Il n'y avait que des miettes, des brisures.

— Tu veux te baigner ? demanda Franck.

Il savait qu'elle répondrait non. L'eau était trop froide. Lui non plus n'en avait pas vraiment envie. C'était uniquement un moyen de se calmer. De se donner du temps pour pouvoir revenir à elle et, peut-être, parvenir à être présent.

Il plia ses vêtements et entra dans l'eau sans gestes brusques. Il marcha droit devant lui jusqu'à ce que la mer atteigne ses épaules. Seule sa tête dépassait. Et encore, il devait lever le menton.

Il détestait cette habitude qu'il avait de ne pas pouvoir profiter des bons moments. Il était toujours hanté par l'idée de leur fin. Depuis qu'il était enfant. Il se souvenait des colonies de vacances. Le premier jour, tout était parfait. Il visitait les nouveaux lieux. Il se faisait des amis. Mais à peine le deuxième jour arrivait-il que Franck commençait à angoisser à l'idée que tout cela disparaîtrait bientôt, que tout ce qu'il pourrait construire ici, ce qui deviendrait familier, lui serait ôté à la fin de la semaine. Et il ne pouvait pas dormir. Il ne pouvait plus parler. Il serrait les poings, secouait la tête et priait pour que le monde s'arrête avant la colonie de vacances, que le temps puisse se mettre sur pause.

Sa volonté de dire à Émilie qu'il voulait rester avec elle *pour toujours* et surtout son besoin de l'entendre lui dire la même chose découlaient tout droit de cette angoisse qui n'avait fait, en réalité, que grandir depuis l'époque des colonies de vacances. C'était la manière qu'il avait trouvée d'appuyer sur pause. Parce que dans le « pour toujours » idéal que Franck avait en tête, il n'y avait pas réellement de futur et d'années à venir, il n'y avait que le présent qui s'étendait à perte de vue, enfin figé, enfin éternel.

Reprenant le contrôle de ses pensées, il s'ordonna de nager une minute dans un sens, puis dans l'autre, avant de sortir embrasser Émilie d'une manière assurée, simple, d'une manière qui lui dirait tout son amour sans pour autant la supplier de l'accepter. Décidé. Confiant. Il s'enfonça dans la mer grise remuée par les vagues et le vent. S'il existait une vie de poissons, de crustacés et de mollusques sous la surface, elle restait invisible à Franck. Ses yeux le brûlaient.

Depuis la plage où elle était assise sur les pierres froides, Émilie distinguait les éclaboussures que faisait Franck. Il avait l'air loin. Souvent, il disparaissait entre deux vagues. C'était comme s'il n'existait plus. Elle empilait machinalement des galets.

Il revint vers elle, les lèvres bleues, la peau hérissée par le froid. Il s'approcha pour l'embrasser. Décidé. Confiant. Mais alors qu'il écartait les mèches de cheveux qui jouaient devant son visage, les yeux inquiets d'Émilie l'arrêtèrent.

— Il faut que je te dise quelque chose.

La panique revint. Il s'assit maladroitement à côté d'elle, s'assit comme s'il tombait, ou tomba, tout simplement, tomba d'un coup à côté d'elle. Émilie prit une profonde inspiration.

— Martin me propose un poste à Cambridge.

Il ne répondit pas. Ne comprit même pas la phrase.

— Comme assistante, pour deux ans. Le temps de finir ma thèse. C'est... c'est une chance extraordinaire.

Malgré les efforts qu'elle faisait pour la masquer, il entendit la joie qu'il y avait dans ses derniers mots. Elle tourna la tête vers lui mais il évita son regard. Il fixa le bout de la plage avec l'espoir fou d'y voir surgir une horde de chevaux sauvages, une armée, un feu de forêt. N'importe quoi qui aurait pu le détourner de l'obligation d'avoir à dire quelque chose. Il se mordait les lèvres, attendant qu'une réponse se présente à son esprit muet.

— Je suis désolée, murmura Émilie. Je sais que je bouleverse tes plans.

— Oui, dit-il de la façon la plus froide possible.

— C'est temporaire.

Il ricana, uniquement pour la blesser (il n'avait aucune envie de ricaner, il se força à émettre un son qui lui sortit péniblement par le nez). Elle baissa les yeux sur les petites piles de galets qu'elle avait formées autour d'elle.

— Je t'aime, dit-elle comme une excuse.

— Moi aussi.

Il était incapable de ne pas répondre à cette phrase. Parfois, il enviait les hommes mystérieux qui savaient se taire ou ne dire que « Je sais », comme Han Solo dans *Star Wars*. Lui semblait toujours avoir le cœur au bord des lèvres, prêt à rendre service. Il aurait dû garder le silence, marquer sa déception en laissant la déclaration d'Émilie se perdre dans les rafales et alors, peut-être, il aurait eu un ascendant sur elle, tout ce qu'il aurait dit après ce « je t'aime » amputé aurait eu un autre poids du simple fait de ne pas être la réponse attendue, de ne pas être le « moi aussi », mais il avait laissé passer cette occasion.

Il pensa que c'était leur dernier moment ensemble avant la fin des Journées d'études. Il pensa qu'il était coincé sur cette île jusqu'au prochain passage du bateau. Il pensa à la beauté fulgurante d'Émilie lors de leur première rencontre.

Il pensa qu'il avait horreur des disputes. Et il se dit que la seule chose à faire, sur cette plage noire battue par le vent, était de se rendre sans conditions.

— Peut-être qu'ils cherchent des infirmiers en Angleterre...

Il ajouta, un peu cruellement – il était extrêmement difficile, dans la réalité, de se rendre sans conditions :

— Ou des médecins.

Émilie ignora cette révolte minuscule. Elle se jeta à son cou et blottit sa tête contre sa poitrine.

— Merci. Merci merci merci merci.

Elle le couvrait d'une pluie de baisers enthousiastes et nerveux destinée à lui montrer à quel point elle était heureuse, à quel point *il la rendait heureuse*. Tout en sachant qu'il y avait une part de flatterie dans la façon dont elle l'exhibait, Franck se laissait convaincre par le spectacle de sa joie. Le sourire d'Émilie – de façon paradoxale – faisait taire sa crainte de n'avoir agi que pour obtenir ce sourire, car quand bien même cela eût été son unique raison, elle était pleinement valable, elle était peut-être même la seule qui méritât qu'on prit une décision : voir Émilie sourire et savoir que c'était grâce à lui, savoir que ce sourire immense lui était dû.

Ils restèrent dans les bras l'un de l'autre, allongés sur les galets, les algues sèches se mêlant à leurs cheveux. Émilie glissa une jambe entre les siennes et l'y laissa prisonnière. Elle sentait l'odeur de l'eau sur la peau de Franck, glacée et métallique, une odeur étrangère qu'elle aurait voulu effacer. Elle se blottit davantage contre lui. « Tu trembles », murmura-t-elle à son oreille.

Ils se relevèrent et continuèrent à marcher le long de la mer bornée.

Un peu plus loin au large, sur un îlot rocheux, des phoques gris s'ébrouaient. Leurs corps s'arquaient puis retombaient lourdement. L'un d'eux plongea pour ressortir à quelques mètres de la plage. Franck n'en avait jamais vu d'aussi près. L'animal avait de grands yeux noirs et brillants, étonnamment humains.

— Ici ils ne les tuent pas, dit Émilie, c'est un sacrilège.

— Pourquoi ?

— Il y a une vieille croyance selon laquelle les âmes des marins qui se noient sont avalées par les phoques en descendant au fond de l'eau. Donc les phoques... sont un peu des gens.

L'animal plongeait et réapparaissait de plus en plus près d'eux, peut-être intrigué par leur présence. Franck planta ses yeux au fond des siens, cherchant à déceler une âme enfermée derrière la fourrure luisante et le museau noir.

— Celui-là, alors, peut-être que c'est Donnell dit-il.

Émilie eut un petit rire.

— Pauvre bête. Ça n'a pas dû être facile à avaler.

Elle lui prit la main et il ne la retira pas. Cette fois, il *était* présent. Il pouvait le sentir.

— Viens, dit-elle en l'entraînant vers la mer.

— Qu'est-ce que tu fais ?

Ils couraient dans l'eau froide, faisant jaillir des gerbes d'éclaboussures.

— Je veux voir le phoque Donnell. Si c'est bien lui, peut-être qu'il a sa bague !

La phrase d'Émilie lui rappela le bijou en plastique caché dans sa valise. Est-ce que ça aurait été le moment ? Franck oublia de lever les genoux et trébucha. Émilie éclata de rire puis tomba à son tour. À quelques mètres d'eux, le phoque plongea, l'air contrarié. Il remonta à côté du rocher et reprit sa place sur l'îlot.

— Oh, fit Émilie déçue.

Ses cheveux ruisselaient de part et d'autre de son visage blanc. Franck l'embrassa. Il décida que la vie en Angleterre serait magnifique et parfaite. Il n'avait aucune idée de ce qu'il ferait une fois là-bas, mais il ne voulait pas y penser. Pas maintenant. Il voulait vivre dans une utopie de quelques centimètres carrés définie par les yeux d'Émilie et tout oublier du reste. Mirhalay avait la faculté de couper ses habitants du monde et Franck comptait bien laisser celui-ci à l'extérieur aussi longtemps que possible.

Justice et morale chez Donnell
Journées d'études – Markus Mann

— « C'est un monde terrible que le nôtre. Et lorsqu'un homme intelligent se tourne vers le crime, ce monde devient le pire de tous. »

Markus Mann avait une voix autoritaire mais vibrante. Elle emplissait la salle et réveillait son assistance que le déjeuner avait plongée dans une semi-torpeur. En parlant, il se déplaçait d'un bout à l'autre de la petite estrade tout en retenant d'une main son pantalon qui paraissait le gêner.

— C'est Arthur Conan Doyle qui prête ces mots au célèbre Sherlock Holmes. Dans toute l'œuvre de l'auteur qui fut, comme on le sait, une puissance tutélaire pour Donnell, la question du choix entre le crime et son combat est fréquemment posée, le plus souvent par le docteur Watson qui tremble à l'idée du criminel absolu que Sherlock Holmes aurait pu devenir en d'autres circonstances.

Le roman policier tel que Conan Doyle l'envisage repose sur une opposition classique du Bien et du Mal dans laquelle le Mal finit toujours par être châtié. Nous sommes ici en présence d'une œuvre profondément *morale*, au sens où le châtiment des criminels est si primordial pour Doyle

qu'il le fera advenir par tous les moyens nécessaires, même ceux qui bafouent le fonctionne-
ment du système judiciaire anglais. C'est ainsi
que Sherlock Holmes transgresse la loi à plusieurs reprises, comme dans *L'Escarboucle bleue*
lorsqu'il se contente de faire tomber la fausse
accusation qui frappe un innocent et laisse
ensuite s'échapper le voleur réel avec cette
phrase : « Je suppose que je commets un crime,
mais il se peut tout aussi bien que je sauve une
âme. » Il se transforme ici en figure de pasteur,
ou même de Christ rédempteur, avant d'être un
serviteur de la justice. Plus grave, dans *Charles
Augustus Milverton*, alors que Holmes et Watson
sont cachés dans la maison du maître-chanteur,
ils laissent une de ses victimes le tuer d'un coup
de revolver puis piétiner le corps. Watson est prêt
à s'élancer au secours de Milverton mais Holmes
le retient d'un : « Nous n'avons pas à nous en
occuper, la justice a triomphé d'un méchant homme. »

Mann remonta son pantalon jusque sous son
ventre imposant.

— Curieuse justice, ne trouvez-vous pas ? Oui,
curieuse justice que celle qui permet les règle-
ments directs de partie à partie et avec une arme
au poing.

Dès que le criminologue lâcha sa ceinture, le
pantalon recommença lentement, presque imperceptiblement, sa descente le long des hanches.
Franck comprit qu'il aurait du mal à suivre la
communication : son attention tout entière était
absorbée par la lutte discrète qui se jouait entre
le conférencier et ses vêtements.

— Le cas de Sherlock Holmes est ambigu :
c'est un homme qui estime avoir une vision du
Bien général si élevée que, pour la faire respecter,

il n'est pas contraint par les mêmes lois que les autres. Holmes travaille la plupart du temps main dans la main avec la police, mais il peut aussi décider de lui cacher ses informations afin qu'advienne sa version *personnelle* de la justice. La question de l'articulation entre justice et morale est un topique récurrent de la littérature policière, elle repose au fond de chaque roman noir. Elle est partout... sauf dans l'œuvre de Donnell.

Mann agrippa sa ceinture à deux mains, décidé, semblait-il, à ne plus la lâcher jusqu'à la fin de son intervention. Curieusement, cette allure de cowboy lui allait bien. Il avait une virilité d'une autre époque (*vintage*, pensa Franck, comme un blouson en cuir patiné par les ans).

— Le détective Carr, asséna Markus Mann, ne se consacre pas à une enquête pour rétablir un équilibre entre le Bien et le Mal. Il est un *privé* et, à ce titre, il est totalement dépourvu de morale. Il ne possède pas de système de valeurs qui lui serait propre et qu'il opposerait à la justice de son pays sous prétexte que celle-ci serait limitée ou corrompue : il se plie simplement à celui de son employeur. On peut donc le voir, selon qui le paie, agir dans le cadre de la loi ou transgresser celle-ci sans état d'âme. Par exemple dans *Le Temps des morts*, lorsqu'il est engagé par le boxeur Billy Edward pour détourner de ses traces un enquêteur de police trop zélé, ou dans *Les Lèvres pâles*, lorsqu'il accepte d'aider Silence à faire évader de prison le tueur Tom Kerry. Il n'y a que l'argent qui compte et la façon dont il permet d'acheter ou non un service. À la place de la morale ou de la justice ne subsiste qu'une sorte d'éthique professionnelle : non pas « tout travail mérite salaire » mais « tout salaire mérite travail ». Un propos que Carr lui-même se charge d'expliquer au barman du Sour et, par la même occasion, au lecteur : « Si je suis rétribué à ma juste valeur, je n'ai aucune raison de saloper le boulot. Si je ne suis pas rétribué à ma juste valeur, je serais idiot d'avoir accepté un job. Crois-moi, il est plus facile de tomber juste en calculant un taux horaire qu'en se basant sur la déclaration des droits de l'Homme[1]. » Il arrive fréquemment que les exégètes de l'œuvre lisent dans ces propos une dérive libérale, une critique du monde moderne dans lequel l'argent-roi a remplacé toute loi du vivre-ensemble. Selon moi, nous en sommes loin. Carr n'évolue pas dans un univers de richesse et Donnell, le gamin de Gairloch, n'est pas Bret Easton Ellis, il est même sûrement incapable de se représenter le monde de traders et de consommation que dépeindra l'Américain à la fin des années 80. Carr vient de ce milieu pauvre où l'argent est soigneusement économisé et où le fait de payer quelqu'un a valeur de contrat absolu car l'argent est cher, si l'on peut se permettre cet étrange pléonasme. Dans le fait d'être engagé/payé par un client, Carr lit la preuve que l'autre a fondamentalement besoin de lui, s'est *saigné* pour lui. Et cela suffit à le mettre au travail.

---

1. Galwin Donnell, *Et se taire à jamais*, 1980, p. 75.

Petits arrangements avec la morale

Accepter de suivre Émilie à Cambridge était un sacrifice de la part de Franck, mais de ceux dont il pouvait tirer avantage. Émilie s'endettait envers lui. Pour elle, il abandonnait un pays, une langue, un travail et tout ce qui construit un monde personnel : les courbes connues d'une rivière, les lignes de bus, les trousseaux de clés, les visages des voisins entraperçus aux fenêtres, les horaires d'ouverture de l'épicier, la familiarité des pigeons et les noms de rues devenues les antichambres du foyer – Ramey, Duc, Vauvenargues, Cloÿs, Damrémont, La Jonquière.

Elle se devait de le rembourser d'une manière ou d'une autre. Il savait qu'elle le ferait : Émilie était foncièrement honnête.

En d'autres termes, ce qui semblait être un bouleversement de leurs plans de vie commune (Cambridge) pouvait en fait s'avérer être le meilleur moyen d'en revenir à cette vie commune (le « pour toujours », ou l'enfant) puisque Franck, en acceptant de se sacrifier, s'était également mis en situation de recevoir une compensation.

En d'autres termes encore, Franck, au moment où l'abnégation de son sacrifice l'éblouissait lui-même, élaborait plus ou moins consciemment un marché basé sur le principe du « donnant-donnant » et absolument contraire à l'*essence* du sacrifice.

Un cormoran dans la poitrine

« Ce n'est pas assez de courtiser l'extinction ; *nous* aspirons à n'avoir jamais été. »

Killian Turner,
Horizons effacés/Rivages perdus.

Pour clôturer la seconde Journée d'études, les participants étaient invités à une projection d'*Addiction(s)*, dans la version de 1955. Le rôle d'Adrian Dickson Carr y était tenu par Ernest Borgnine – dont Donnell dit par la suite qu'il avait été une terrible erreur de casting et que « sa face rondouillarde et sa dentition maladroite » avaient desservi une interprétation « par ailleurs pleine de bonne volonté[1] ».

Malgré les critiques de l'auteur qui n'aima jamais aucune des adaptations de ses livres (à part le détournement pornographique d'*Emily Rose* qu'il prétendait trouver génial), le film avait gardé auprès des admirateurs de Donnell une certaine aura. Il était le premier d'une longue série

---

1. Cité par Anton Likiewicz in *La Caméra en souffrance : Donnell et le cinéma*, Presses de Jagellone, Cracovie, 2002, p. 207.

d'adaptations au cours de laquelle Adrian Dickson Carr avait été joué par plus d'acteurs que James Bond. Les spectateurs l'aimaient avec une tendre mélancolie, comme on aime la photo de jeunesse d'un amant connu déjà vieux.

Franck fut surpris, en entrant dans la salle, de voir Jock affairé derrière le projecteur. Le gardien portait une chemise pour l'occasion et le terme « porter » n'avait jamais paru aussi juste à Franck : Jock ne semblait pas être habillé de cette chemise, il l'arborait avec distance et gêne, il l'exhibait comme le signe de sa participation à une mascarade déplaisante. Jock portait *et* dénonçait sa chemise dans un même temps, bien que sa protestation eût lieu en pure perte : les universitaires passaient à côté de lui sans le voir. Franck lui fit un petit geste de la main puis rejoignit Émilie sur la première rangée de sièges en plastique. Elle se blottit contre lui et il put voir, sur la manche de son pull, un minuscule brin d'algue sec resté là depuis la plage. Il passa son bras autour de ses épaules et sourit à l'écran vide.

Le film commença dans une atmosphère presque religieuse. Il s'ouvrait sur les plans larges d'une ville en noir et blanc qui n'était pas tout à fait Édimbourg, pas tout à fait Londres, ni New York, dévoilant son labyrinthe de rues, ses docks et ses passants anonymes. Puis la caméra s'arrêta devant une façade grise, en suivit les étages, entra par une fenêtre du cinquième et, avançant dans un studio presque vide, fit lentement le point sur la première incarnation d'Adrian Dickson Carr à l'écran. Il était allongé sur un sofa, les yeux cernés et grands ouverts. Tout près de sa tête, un réveil sonnait, indiquant sept heures du matin. Il l'éteignit d'un geste triste et roula sur le côté en grognant.

Le film respectait fidèlement l'intrigue du roman : apparition du marin en détresse, trafic dans les bateaux, fausse piste conduisant Carr au dealer albinos. Franck se surprit à connaître lui-même l'histoire sur le bout des doigts alors qu'il ne l'avait pas relue depuis son adolescence.

À la quarante-troisième minute du film, un léger murmure parcourut la salle, fait de petits rires, de discrètes huées et de roucoulements. Émilie se pencha vers Franck et lui expliqua que la femme qui venait d'apparaître à l'écran dans le rôle d'une entraîneuse de bar était Lorna, l'ex-femme de Donnell, celle qui l'avait *abandonné*. C'était une rousse solide, pas forcément jolie, mais dont le corps et l'attitude respiraient la crânerie. Selon Franck, on voyait tout de suite que c'était une femme qui n'apporterait pas la paix.

Lorna Foley, qui fut pendant vingt et un ans Lorna Donnell bien qu'aucun des lecteurs de l'écrivain n'acceptât de la nommer ainsi, était l'objet de haine des fans de l'auteur depuis leur divorce en 1963 (elle l'avait brutalement quitté pour un architecte naval). Ils lui reprochaient non seulement la séparation qui avait mené, selon certains, au suicide de Donnell, mais aussi la publication de son autobiographie en trois tomes – ouvrage dans lequel Donnell apparaissait comme un être commun, préoccupé de son bonheur bien plus que de littérature, riant du succès que rencontraient ses livres et qui avouait parfois, en petit comité, ne pas être sûr de mériter un tel engouement. Mais ils la haïssaient surtout pour la période fric-cocaïne-orgies que le couple avait traversée à San Francisco au début des années 60, juste avant la rupture, et pendant laquelle Donnell avait brièvement tourné le dos au roman pour se consacrer, sur les conseils de Lorna, à l'écriture de scénarios. Elle s'était affichée dans du renard blanc et des robes trop courtes, apparaissant défoncée aux côtés de son mari et pointant son majeur vers les photographes. Ses quelques admirateurs disaient que Lorna avait inventé le punk.

Sous le bras de Franck, les épaules d'Émilie se raidirent, devinrent étrangères. Il l'observa à la dérobée. Elle tendait imperceptiblement vers l'écran son visage crispé. En cet instant, Émilie trahissait la haine qu'elle éprouvait pour cette femme – une femme qu'elle n'avait jamais vue, ne verrait jamais, une femme qui n'avait pour elle que d'avoir été la « femme de » et que l'on détestait pour avoir été la « femme de » mais aussi pour avoir voulu cesser d'être la « femme de » (comme si, pour les disciples de Donnell, il était *impensable* d'arrêter d'aimer Donnell, comme si la chose était un crime en soi et non une lassitude explicable, comme si jamais un couple avant eux ne s'était brisé), une femme qui finissait sa vie dans une villa de l'Algarve, vieille et usée, probablement pleine de regrets sous le soleil cuisant, sans rien demander à personne. La jalousie d'Émilie envers Lorna était absurde et n'avait pas d'équivalent, sinon celle que Franck ressentait à présent à l'égard de Donnell par une sorte de réaction en chaîne.

Il ôta son bras du dossier de la chaise et feignit de regarder le film avec attention. Sa présence aux Journées d'études, songea-t-il, était déplacée, peut-être même obscène. Les intitulés quasi chirurgicaux donnés aux diverses prises de parole ne pouvaient dissimuler le fait qu'en réalité il avait été convié à regarder les ébats amoureux de tout un groupe (incluant sa compagne), ébats qui n'avaient pas lieu *entre* les différents membres du groupe mais pour vénérer un absent, ou *avec* un absent, un mort, un auteur absent et mort. « Mais qu'est-ce que je fais ici ? » se demanda-t-il. À l'écran, Lorna sortait du bar en souriant sans ambiguïté à Ernest Borgnine qui regardait onduler sa chute de reins. Dès qu'elle eut disparu, la tension de l'assemblée s'évanouit elle aussi. Franck patienta tant bien que mal jusqu'à la fin du film en se répétant comme des mantras les termes de « sacrifice » et de « pour toujours », ainsi que ceux de « nouvelle vie » et de « dévouement ».

— Ça vous a plu ? demanda Jock quand il quitta la salle.

Franck hocha lentement la tête (il avait été incapable de suivre la fin du film).

— Vous faites souvent des projections ici ?

— Tous les trois ans, répondit le gardien d'une voix morne, le même film tous les trois ans. Parfois quelques autres en plus, mais celui-là, toujours.

Les invités des Journées d'études se retrouvaient pour parler d'*Addiction(s)* dans le réfectoire. Émilie adressa à Franck une moue désolée signifiant qu'elle ne pouvait échapper à la conversation. Il lui sourit nerveusement, tentant d'oublier la désagréable impression qu'il avait éprouvée pendant la projection.

— Vous voulez boire ?

Jock avait la mine discrète de celui qui connaissait déjà la réponse, un peu comme un serveur demandant à une table de dîneurs s'ils sont prêts à commander.

— Laissez-moi dix minutes pour ranger le matériel et je vous rejoins dehors, ajouta-t-il.

Indiquant d'un geste à Émilie qu'il allait faire un tour, Franck quitta l'école par la porte de derrière et inspira à pleins poumons l'air froid du soir.

Il faisait noir et argenté. La pleine lune éclairait toutes les formes claires, laissant les autres dans une obscurité obstinée. Les cailloux mouillés brillaient par intermittence. Franck pensa que c'était trop. Que c'était comme une description romantique de la nuit. Il y avait une beauté sombre et difficile dans ce spectacle. Tout ici semblait plus intense qu'ailleurs.

Malgré lui, il se mit à songer à Donnell. Combien de nuits comme celle-là avait-il vécues sur la petite île ? Et pourquoi est-ce qu'un soir il était entré dans l'eau ? Est-ce qu'il avait fini par ne plus supporter cette vue ? Franck pouvait imaginer que la beauté, si on ne la partageait avec personne, devenait peut-être une immense douleur. Que la vanité de tout finissait par vous heurter en pleine face. Qu'être seul revenait presque à ne pas exister et à ne rien voir au bout du compte.

C'était le genre de choses qu'il préférait ne pas retourner dans sa tête trop longtemps. Franck considérait le suicide comme une sorte de virus que l'on peut attraper par promiscuité de pensées. Il ne s'en sentait jamais tout à fait protégé.

Il marcha jusqu'à la chapelle, le *writing shack* avec ses murs beiges et sa petite fenêtre ovale. À l'intérieur se trouvait une reconstitution du bureau de Donnell dans lequel Émilie avait été autorisée à venir travailler durant ses trois mois de recherches. La porte était fermée à clé et Franck fit le tour du bâtiment. Derrière s'élevait une stèle en mémoire de l'auteur. Martin Stafford avait choisi lui-même l'épitaphe parce que personne n'osait le faire. Il était difficile d'écrire pour un écrivain. Pour – peut-être – l'écrivain le plus célèbre de tous les temps. Pensant à la chevalière, Martin Stafford avait choisi d'imiter la tombe de Sir Arthur Conan Doyle sur laquelle on lisait :

VRAI COMME L'ACIER
DROIT COMME UNE LAME
ARTHUR CONAN DOYLE
CHEVALIER
PATRIOTE, MÉDECIN & HOMME DE LETTRES

Il avait adouci le caractère officiel de la stèle de Doyle en empruntant directement à la prose de Donnell une partie de son épitaphe. Et sur la petite plaque de marbre blanc que Franck avait sous les yeux était gravé :

GRAND COMME LE MONDE
PORC-CHIEN DE TRISTESSE
GALWIN DONNELL
MISANTHROPE, ERMITE & ÉCRIVAIN

La fleur des champs qu'Émilie avait apportée en offrande la veille était toujours là, la tige coincée sous un galet pour échapper au vent. Franck s'assit à côté de la stèle. Ses doigts, en jouant sur la pierre, déplacèrent le galet et la fleur s'envola. Il tenta de rattraper la tige légère mais le vent l'avait déjà emportée au loin.

— Belle nuit, non ?

Jock avait enfilé par-dessus sa chemise une sorte de veste de chasse dont chaque poche contenait une canette de bière. Il en tendit une à Franck.

— Je vous ai cherché partout. Vous ne devriez pas passer votre temps près de cette merde.

Il désigna le *writing shack* d'un geste méprisant.

— Il y a des tas d'autres coins sur l'île qui sont plus intéressants.

Franck avala une gorgée de bière.

— À moins que vous aussi, vous ne soyez un fan de ce connard de Donnell.

— Non, dit Franck, pas vraiment.

— C'est bien, dit le gardien. Demain, je vous montrerai quelque chose.

— On ne peut pas y aller maintenant ?

— Non, répondit Jock d'un ton catégorique, on ne peut pas y aller maintenant.

Ils restèrent là, de part et d'autre de la stèle, silencieux, les fesses dans l'herbe mouillée. Les yeux du gardien se posaient sans cesse sur Franck, semblant attendre quelque chose de lui. Il ne savait pas quoi mais l'intensité de la demande le mettait mal à l'aise. Il buvait vite, pour chasser son trouble, et occupait le silence de grands soupirs satisfaits après chaque gorgée.

Quand les bières furent finies, Jock tira d'une autre poche de sa veste une petite bouteille qu'il tendit à Franck. Celui-ci la prit à contrecœur, se demandant quand cesserait cette étrange pantomime de beuverie (il ne voulait pas boire et le gardien silencieux ne lui offrait qu'une demi-compagnie). Il aspira un peu d'alcool au goulot mince, quelque chose qui ressemblait à du whisky sans tout à fait en être. Mais peut-être qu'il ne connaissait pas bien le whisky. Il l'avait trop souvent mélangé à du Coca.

— Ce n'est pas trop dur, commença-t-il à brûle-pourpoint comme Jock ne se décidait toujours pas à parler, de vivre tout seul sur cette île ? Vous n'avez jamais eu envie de faire autre chose ?

— Comme quoi ?

— Je ne sais pas. Rencontrer des gens. Vous marier. Ou simplement... simplement voir d'autres êtres vivants que les moutons et les phoques ?

Jock haussa les épaules, l'air renfrogné.

— Moi, je trouverais ça terrifiant d'être là à longueur d'années, dit Franck. Mais si ça vous va...

— Qu'est-ce que ça peut vous foutre ? demanda brusquement le gardien en lui reprenant la bouteille, qu'est-ce que ça peut vous foutre ce qui nous arrive à moi, aux moutons et aux phoques ? Vous en entendrez parler si on crève tous ici, sur Mirhalay ? Bien sûr que non.

Franck, surpris par la brutale explosion du gardien, murmura qu'il en serait désolé.

— Vous savez comment ils retrouvent ceux qui meurent sur les îles fantômes ? demanda Jock. En suivant les cormorans qui leur ont fait un nid dans la poitrine, dans la cage de leurs côtes. C'est ce qui m'attend moi, à la fin.

Franck eut un hoquet. Un peu du liquide qu'il venait d'ingérer lui remonta dans la bouche. Il le cracha sur le côté.

— Et pour qui ? Je vous le demande, poursuivit Jock. Pour cet enculé de duc qui pense que son argent lui permet de tout acheter, même mon âme ? Ou pour vous et vos conneries de Galwin Fucking Donnell ?

Franck tenta de bredouiller sa désapprobation. Il ne faisait pas partie des invités aux Journées d'études. Il était, lui aussi, un marginal. Presque un opposant. Le gardien se calma, lui tendit à nouveau la bouteille en silence. Désormais, le liquide à l'intérieur semblait avoir le goût de vomi. Franck savait que ce n'était que dans sa bouche mais il ne pouvait s'empêcher d'avoir un peu peur de cette boisson qui changeait de goût.

— J'en ai lu un ou deux, de ses bouquins, soupira Jock après un temps. C'était obligé, pour le travail.

— Moi aussi j'ai été obligé, dit Franck.

Mais il le dit en souriant. Le mantra avait fait effet sur lui. Les années passées à tenter de comprendre l'adoration d'Émilie pour Donnell (sacrifice) étaient derrière lui et désormais son attention tout entière était tournée vers la perspective d'une vie heureuse (pour toujours). Jock eut une grimace dégoûtée :

— Vous trouvez que ça a un sens, vous, de vénérer un obsédé sexuel qui baise des petites filles ? Et pourquoi ? Parce qu'il a réussi à élucider je ne sais quelle enquête de merde. Qu'est-ce que ça change aux horreurs du monde, hein ?

Franck secoua la tête avec commisération. Le whisky – ou quel que soit l'alcool contenu dans la bouteille – commençait à le réchauffer agréablement. Il sentait de fines bulles dorées se mélanger à son sang, comme du miel. Lui et Jock en prirent à nouveau de grandes rasades, en poursuivant leurs mouvements de tête pensifs, comme pour nier que ce silence fût la fin de leur conversation. En réalité, Franck ne se souvenait même plus de ce qu'il approuvait, ou désapprouvait, de ce mouvement de tête.

— Moi je vais vous dire ce que je crois, reprit Jock, je crois qu'il y a des types qui créent des mythes comme Adrian Dickson Carr ou comme Superman pour que les gens s'extasient sur ce que ces surhommes peuvent faire à l'échelle individuelle et que tout le monde oublie que la lutte se mène sur le terrain politique et en masse.

— Ouais, dit Franck.

— C'est pas un connard en collants qui arrêtera les massacres et l'esclavage, si vous voyez ce que je veux dire.

— Pas faux.

Ils burent à nouveau. Jock alluma une cigarette.

Après quelques minutes, Franck se leva pour uriner derrière le *writing shack*. En revenant près du gardien, il constata qu'il avait du mal à marcher droit.

— Vous êtes bourré, vous.

— Voui, admit Franck qui ne pouvait cesser de sourire.

Il se laissa tomber sans grâce à sa place initiale. Le grand homme roux le fixa un instant avec ces mêmes yeux qui attendaient une chose inconnue puis il éclata de rire et lui envoya une bourrade dans les côtes. La pantomime de beuverie avait atteint son paroxysme de réalité, pensa Franck : il était *réellement* en train de se saouler et commençait à trouver le moment agréable.

— Vous savez, dit-il avec la conviction de ceux qui tentent de masquer leur ivresse, je crois que vous avez raison. Je crois que c'est comme ça depuis Robin des Bois. « Oh Robin, Robin, sauve-moi ! Robin, ton chapeau à plumes, ton arc, tes flèches ! » Et pendant qu'ils fantasmaient tous sur Robin des Bois, les paysans et les femmes, personne ne se rassemblait pour se révolter contre le prince Jean.

Sa voix avait des accents hystériques qu'il trouvait amusants.

— Exactement ! tonna le gardien.

— C'est peut-être même à cause de Robin des Bois que la monarchie a pu perdurer en Angleterre. Il leur servait de *diversion*.

— Le salaud...

Jock avait l'air sincèrement atterré par cette pensée. Il se prit la tête dans les mains, labourant sa tignasse rousse de ses dix doigts.

— Et moi, ajouta Franck, j'ai aussi des problèmes avec les superhéros dans mon métier, vous savez.

— Il y a beaucoup de superhéros infirmiers ?

— Non...

Franck haussa les épaules, un peu déçu sur l'instant que personne ne reconnaisse réellement son travail.

— Mais il y a Dr House. Et lui, c'est pareil, il nous a salopé le boulot.

— Comment ça ? voulut savoir le gardien.

— Ben... les gens ont l'impression qu'il leur faut un grand homme, un génie pour combattre la maladie. Vous voyez, les bandages, les médicaments, ils s'en foutent. Ils veulent juste que l'homme le plus intelligent du monde les transforme en schémas sur un tableau blanc et émette un diagnostic. Ils confondent tout. Comme si la médecine se pratiquait par éclairs de génie. Comme si on guérissait d'une déduction foudroyante. Personne ne fait plus attention au petit à petit, au pas à pas. Et puis ils sont prêts à abdiquer tout pouvoir, toute autonomie entre les mains d'un petit chef dont on leur aura dit qu'il était au-dessus du reste de l'humanité.

— Les superhéros sont des Adolf Hitler, dit le gardien.

— Dr House aussi, dit Franck qui avait la rancune spécifique.

— Et Adam Dickson Carr.

— Adrian.

— Qu'il aille se faire foutre, quel que soit son nom !

Franck éclata de rire et récupéra la bouteille.

Lorsqu'elle fut vide, ils se mirent difficilement sur leurs pieds et regardèrent autour d'eux le noir de la nuit que rien ne transperçait.

— Venez demain sur le pré de MacPhee, dit Jock comme si la géographie de l'île n'avait pas de secrets pour Franck, et là je vous ferai faire une vraie visite de Mirhalay.

Ils se séparèrent après une poignée de main que l'alcool rendait terriblement amicale et Franck marcha vers l'école en chantonnant.

En entrant dans la petite chambre, il trouva Émilie qui relisait *Ne pas être/être encore*, le quatrième roman de Donnell, peut-être le seul qui ne faisait pas l'unanimité. Malgré la concentration qui tendait les traits de son visage, elle leva les yeux et sourit à Franck. Il arborait encore cet air vague et réjoui que lui avait donné sa conversation avec le gardien.

— Qu'est-ce que tu as fait, lâcheur ?

Franck se déshabilla en sautillant autour du lit.

— J'étais avec Jock. Demain, il m'a promis de me montrer l'île *pour de vrai*.

Elle fronça le nez.

— Oh, ce type.

— Il est gentil, protesta Franck.

— Il a vraiment quelque chose de bizarre. Tu devrais faire attention.

Il s'allongea à côté d'elle et posa la tête sur son ventre. À travers le tee-shirt qu'elle portait pour dormir, il pouvait sentir la chaleur de sa peau et

entendre les légers gargouillements de son estomac – la vie à l'intérieur d'Émilie. L'odeur plus
âcre de son entrejambe qu'il devinait sous le
pantalon clair du pyjama se mêlait à celle, lai-
teuse, presque enfantine, de son ventre. Il inspirait profondément, en souriant, apaisé et excité
par ce parfum. Il avait toujours adoré cette inti-
mité avec les secrets de son corps. Les gardes de
nuit les forçaient trop souvent à occuper le lit à
tour de rôle, s'y croisant à peine. Ils vivaient
ensemble debout et éveillés, sans partager le
temps du sommeil, alors que c'était justement
dans ces moments d'abandon, pensait Franck en
écoutant le ventre d'Émilie, que l'autre devenait
la maison et l'abri, le point d'ancrage. En
Angleterre, il s'arrangerait pour qu'ils puissent
toujours dormir ensemble, leurs nuits seraient
des sanctuaires.

— Tu me fais la lecture ?

Émilie hocha la tête.

— C'est le chapitre sur le match, précisa-t-elle,
celui où Carr essaie d'empêcher le meurtre du
vieux policier.

Et elle commença à lire d'une voix monocorde
et précise : « Alors qu'il approchait du stade, Carr
se sentit tout à coup aspiré par un mouvement
de foule. L'instant d'avant, il marchait dans la rue
aux côtés d'autres passants, tous des individus,
séparé d'eux par l'infime barrière de son moi, et
il se trouvait désormais pris dans une masse
confuse et bruyante, incapable de contrôler la
direction dans laquelle il allait, incapable même
de réfléchir.

Il n'aimait pas ça. Rien de bon ne s'était jamais
produit dans le rassemblement des supporters des
Rangers, il le savait. Les hommes y buvaient trop.

Les femmes y imitaient les hommes, peut-être pour légitimer leur présence, peut-être pour rassurer les mâles sur le fait qu'un match de football était encore ce débordement de testostérone où ils pouvaient éclore en toute brutalité.

Le vieux stade était dangereux. Les ampoules brisées dans les escaliers, les barrières rouillées des tribunes, l'étroitesse des couloirs. C'était un endroit vétuste et misérable, une pissotière géante, où la ville venait pourtant festoyer en masse, rêver de victoires et de championnats dans l'odeur de sueur et se tuer parfois dans la folie du soir. Le lieu rêvé pour maquiller un meurtre en accident.

Carr tentait d'avancer malgré la foule, de récupérer sa trajectoire individuelle au sein de ce banc de poissons bleus et blancs. Et le frottement des corps contre le sien (tétons, hanches, épaules de femmes au visage peinturluré aux couleurs de l'équipe) faisait monter en lui une confusion de désir et de peur de perdre la tête. Il devait retrouver Finn avant le premier coup de sifflet ou il ne serait plus sûr de rien. Dès qu'une action commencerait sur le terrain, la foule se déchaînerait en horde sauvage. Et, pire encore, Carr lui-même se déchaînerait, incapable de se contrôler plus longtemps face à la déferlante de chair et de violence. »

Kama Sûtra

Le jour de son entrée en hypokhâgne, Émilie avait eu une sorte d'épiphanie. Ou plutôt, on lui en avait administré une, pour peu que l'expression eût un sens.

Ce qui s'était produit, ce jour-là, c'était qu'Émilie s'était assise dans une salle de classe qu'on eût dite tirée d'un film sur la jeunesse étudiante des années 70, avec un tableau vert recouvert d'une fine couche de poussière de craie et des chaises bicolores dans lesquelles les cheveux se coinçaient, assise sans espérance particulière sinon une soif d'apprendre qui se situait dans la moyenne. Lorsque leur professeur de français était entrée dans la salle, elle n'avait pas pensé grand-chose, à part peut-être – devant la ligne parfaite dessinée par sa coupe au carré – que cette femme portait une perruque.

Et puis la prêtresse avait commencé à parler. Elle avait ouvert cette séance initiale, et l'année entière qu'elle passerait avec ces étudiants encore inconnus, en leur déclarant :

— La littérature est un Kama Sûtra intellectuel.

Émilie avait hésité à prendre des notes. Elle ne savait pas comment écrire Kama Sûtra.

— La littérature est une forme de plaisir poussée à son raffinement le plus extrême par des écrivains que le rapport habituel au langage ne satisfait plus.

Émilie avait vécu selon ce précepte pendant des années. Elle avait tenté de n'être découragée par aucun formalisme, de traiter les œuvres les plus obscures comme des machines à plaisir poussées dans des directions inattendues. Elle considérait qu'elle avait eu des liaisons plus ou moins suivies avec des écrivains avant-gardistes dont les perversions avaient pu l'enchanter un moment.

Lorsqu'elle avait décidé de consacrer sa thèse à l'étude des personnages féminins dans l'œuvre de Donnell, elle était consciente qu'elle cherchait encore l'endroit où la frontière entre littérature et Kama Sûtra était la plus mince. Que la littérature n'était devenue passionnante depuis cette épiphanie qu'en tant qu'on pouvait espérer qu'elle procure (un peu) du plaisir du Kama Sûtra. Et Donnell se présentait comme l'amant idéal.

— Je ne comprends pas, avait un jour commenté Romain qui enseignait l'espagnol au collège d'Argenteuil où Émilie avait travaillé trois ans, est-ce que cette métaphore tordue veut dire que quand tu lis, tu mouilles ?

— N'importe quoi, avait répondu Émilie.

Mais parfois si.

Le village fantôme

« Un chat roux et blanc, heurté par
une voiture plus tôt dans l'après-midi,
incurvait son petit corps taché de sang
sur le trottoir. Au passage d'Adrian, il
cligna lentement des yeux.
— Tu ferais mieux de crever tout de
suite, maugréa le détective, à quoi tu
t'accroches, hein ? »

Galwin DONNELL,
Et se taire à jamais.

Il avait plu toute la nuit et l'île était traversée
de rivières de gravier et de boue. Franck attendait
Jock en tournant en rond. Il avait passé la mati-
née à se réveiller et se rendormir paresseusement,
tentant de rattraper des bribes de son rêve effi-
loché dans lequel s'étaient croisés un éleveur de
crocodiles, une actrice américaine et, il n'en était
pas tout à fait sûr, son cousin Clément qui avait
le visage d'un autre. Quitter l'hôpital provoquait
généralement chez lui une semi-narcolepsie de
quelques jours et il était resté allongé, enroulé
dans la couette jusqu'à ce qu'Émilie ne supporte
plus sa présence. Elle achevait de préparer sa

communication en chronométrant son temps de parole, sans jamais parvenir à respecter les vingt minutes qui lui étaient imparties, et le ton de sa voix berçait doucement Franck, perdu dans les limbes du sommeil. « Dehors, avait fini par dire Émilie, dehors. » Lorsqu'il avait obéi, elle s'était excusée, consciente que le stress la rendait infréquentable – elle avait dit : *inhumaine*. Il l'avait embrassée distraitement, les idées encore brumeuses, puis s'était dirigé vers le pré de MacPhee avant de réaliser qu'il était beaucoup trop tôt pour son rendez-vous avec Jock. Comme il n'avait pas d'autre endroit où aller, il était resté là.

Il marchait d'un rocher à l'autre et se laissait parfois surprendre par le surgissement d'un mouton, étrangement blanc devant le ciel gris. Leurs bêlements hésitaient entre le rire et l'appel à l'aide. Il essaya d'en effrayer un. L'animal lui jeta un regard de mépris et s'éloigna à peine.

Il ralluma son téléphone et vit qu'il avait reçu un texto de Leïla. Elle lui annonçait la mort du braqueur, le gamin de dix-neuf ans que Franck avait reçu aux urgences avant son départ. « Ne pleures pas comme un artichaud », commandait le texto.

« Leïla est complètement analphabète », avait l'habitude de dire Émilie quand elle entrevoyait de temps en temps des morceaux de sa prose. « Ta meuf est complètement conne », disait de son côté Leïla sans avoir besoin d'occasions particulières. Les deux femmes s'étaient croisées plusieurs fois, au cours des dîners que Franck avait organisés chez lui avec ses collègues. Elles avaient semblé, dès la première seconde, se connaître par cœur et ne pas s'apprécier. Franck avait insisté un temps avant de se décourager, car ni Émilie ni Leïla ne considéraient leur désaffection mutuelle comme un problème et n'envisageaient de travailler à trouver une solution. « On ne peut pas aimer tout le monde », disait Émilie de façon faussement naïve.

En plus de ses fautes d'orthographe, Leïla mélangeait les proverbes et les expressions consacrées. Franck avançait et reculait dans la boue de Mirhalay en pensant à la manière dont pourrait pleurer un artichaut et au gamin qui avait reçu deux balles dans le dos avant de tomber de scooter. Il aurait probablement été dévasté s'il s'était trouvé à l'hôpital. Mais ici, sur cette île, le monde ne lui parvenait pas vraiment. Trop de mer à traverser, trop de brume. Il n'en percevait que les échos et les faibles effets. Un arrière-goût de tristesse qui restait au fond de la gorge.

— Prêt pour la balade ?

Jock venait de surgir, enveloppé d'un ciré de pluie qui tombait autour de lui comme une tente. Franck ne comprenait pas cette manie qu'avait le gardien – et que partageaient les moutons – d'apparaître brusquement. Est-ce qu'il n'aurait pas pu arriver lentement, se montrer de loin comme tout le monde ?

Il rangea son téléphone dans sa poche et lui emboîta le pas.

— Vous êtes déjà allé au Village ? demanda Jock.

Franck secoua la tête. La pluie se remit à tomber, épaisse et lourde. Les gouttes les frappaient avec un bruit mat. Il fallait plisser les yeux pour éviter qu'elles ne viennent s'y écraser. Ils approchèrent du Village par une mince piste qui séparait de grandes touffes d'herbe jaunes et brunes. Le sol était spongieux et s'enfonçait sous leurs chaussures à chaque pas, recrachant de l'eau sombre agitée de bulles avec un bruit désagréable. De temps en temps, entre les herbes, Franck devinait une vieille roue métallique, une portière, des ressorts ou des pots de peinture corrodés. Plus loin, il aperçut une meule, une vis de pressoir, une machine à laver, une carcasse de voiture entière – il pensa « avec les os et les entrailles », tant le véhicule en se dégradant avait acquis une dimension animale. Il se trouvait au cœur d'une décharge immobile et rouillée, rougie par les ans.

Entre ses cils chargés d'eau, il vit soudain se dessiner la forme imposante et absurde d'un bus. Il s'arrêta.

— C'était pour les Journées internationales, expliqua le gardien, ou pour des touristes, je ne sais plus. Il n'a pas fonctionné longtemps. Après six mois, la panne. Le duc avait dû acheter une vieille merde.

— Pourquoi est-ce qu'il est encore là ? demanda Franck.

— Vous savez ce que ça coûterait de faire remorquer un bus de l'autre côté de la mer ? Ici, personne ne s'occupe de ce genre de choses. Et puis ça dérange qui, de toute manière ?

Franck avait l'habitude de voir disparaître presque instantanément tout ce dont il ne se servait plus. Vide-ordures, poubelles, encombrants, recyclage, tout était fait pour que ce qu'on abandonne ne nous reste pas sous les yeux. Mais ici, ça ne fonctionnait pas. On jetait et on gardait à la fois. Les rebuts de Mirhalay, sorte de cimetière des consommations, formaient une étrange haie d'honneur pour les deux marcheurs, les guidant jusqu'aux premières ruines.

Celles-ci étaient plus nombreuses et plus hautes que leur aperçu depuis la route le laissait supposer. Elles formaient encore un village ou dessinaient du moins ses contours, timidement, devant le ciel gris sombre. Il en subsistait une coquille, une impression. Les murs des maisons vides se dressaient comme des squelettes mal enterrés, mangés par la mousse et la bruyère. Leur vision provoquait un effet étrange : celui d'une dimension domestique jamais perdue et d'une déréliction insondable. On voyait en même temps la maison et la mort, un lieu de vie et la flagrante impossibilité d'y vivre.

C'était un endroit à fantômes.

La pluie tombait de plus en plus fort. Ils entrèrent dans une petite maison qui avait conservé un pan de toit et se plaquèrent immédiatement contre le mur pour s'abriter. Ils savourèrent quelques instants le plaisir de regarder la pluie d'aussi près sans y être exposés.

— J'ai perdu un patient aujourd'hui, murmura Franck.

Ce n'est que lorsqu'il s'entendit prononcer ces mots qu'il réalisa que l'image de l'homme-enfant allongé sur sa civière ne l'avait pas quitté depuis le texto de Leïla. Il ne se souvenait pas de son visage mais revoyait clairement la position du corps, une main aux doigts fins posée sur le ventre, et le bleu électrique du col du polo.

— C'est de votre faute ? demanda Jock.

Franck se tourna pour mieux le voir. La question lui paraissait déplacée et brutale mais il n'y avait aucun jugement dans les yeux du gardien.

— Bien sûr que non, répondit-il.

Cependant, il devait reconnaître qu'une part de culpabilité entrait dans le sentiment qui l'avait envahi à la nouvelle. Culpabilité de ne pas avoir été sur place. Culpabilité de se trouver sur une île où il n'était utile à personne (et qu'en serait-il alors en Angleterre s'il partait avec Émilie ? s'il ne trouvait pas de travail là-bas ? L'Angleterre, après tout, n'était rien d'autre qu'une île de dimension supérieure). Culpabilité, absurde, de ne pas être Dr House. Culpabilité, plus vaste et plus vague, d'appartenir à une espèce où l'on pouvait tuer un garçon de dix-neuf ans. Il sentit des sanglots lui monter dans la gorge.

— Il était trop jeune, dit-il en se laissant aller de tout son poids contre le mur.

— C'est peut-être mieux, commenta Jock après un temps, de mourir avant les déceptions. Ce n'est pas comme si la vie tenait ses promesses.

Son étrange logique bloqua les larmes de Franck. Elles étaient encore à l'intérieur mais elles ne pouvaient plus sortir. Il inspira bruyamment. Les larmes trouvèrent où se perdre dans les recoins de son corps. Il les sentit refluer. Les deux hommes se turent à nouveau.

Au centre de la pièce, qui ressemblait à une prairie enclose ou à un petit jardin, les herbes et la bruyère avaient peu à peu reconquis la terre battue que plus aucun habitant ne piétinait.

— Souvent, dit Jock abruptement, j'ai l'impression que c'est exactement la même chose que si j'étais né aveugle.

— Qu'est-ce qui est la même chose ?

— Tout, dit Jock en se renfrognant.

Et, se détachant du mur, il quitta leur abri pour donner de grands coups de pied dans les mottes détrempées. De la boue noire vola dans toutes les directions, éclaboussa les murs, macula son ciré trop grand. Il frappait le sol avec colère et grognait comme un animal. Quand des projections l'atteignirent, Franck se protégea le visage mais ne dit rien. Il réalisait qu'il avait un peu peur du gardien.

— Je jouais ici quand j'étais petit, dit Jock lorsqu'il se calma.

Un étrange sourire lui monta aux lèvres, oscilla un instant. Franck baissa le bras, comprenant que la pluie noire avait pris fin.

— Au début, c'était drôle. Avec mon père, on travaillait à garder les maisons en état, pour qu'elles ressemblent encore à des maisons. Je crois que mes parents avaient, en quelque sorte, le rêve de voir le Village se repeupler. Que le duc autorise d'autres personnes à s'installer sur ses terres. Ou que Donnell invite – quoi ? des amis à lui, ou sa famille, n'importe qui. Mais il ne voulait plus voir personne. Surtout les femmes. Ça, c'était incroyable. Ma mère avait des horaires de sortie pour être sûre de ne pas tomber sur lui. Je ne sais pas ce que son ex lui avait fait mais il haïssait toutes les femmes de la planète, sans exception. Même ma mère, qui, Dieu lui pardonne, ressemblait plutôt à un cheval.

Je me souviens, une fois à Noël, elle avait désobéi aux ordres du duc et elle avait fait venir sa sœur. Mon père était allé en secret la chercher sur Barra, avec son bateau. C'était une vraie fête ce soir-là. Ils pouffaient comme des gamins autour de la table. Mais Donnell l'a croisée le lendemain. Pas de chance. J'ai cru qu'il allait faire une attaque. Le duc a menacé de virer mon vieux, après ça. On a compris qu'il n'y aurait que nous sur l'île, tant que ce taré de Donnell ferait la loi.

Aucun autre habitant, plus jamais. Alors on a arrêté de s'occuper du Village. On l'a laissé pourrir. C'est étonnant, la vitesse à laquelle ça s'est dégradé. Certaines maisons étaient là depuis des siècles et j'aurais cru que ça leur prendrait aussi longtemps pour retourner à la terre. Mais non. Ce qui fait tenir une maison, ce ne sont pas les pierres, la maçonnerie. C'est la présence humaine à l'intérieur.

En deux ou trois ans, tout s'est cassé la gueule, les toits venaient lécher le sol, alors j'ai dû changer de jeu. Je suis devenu l'Exterminateur. J'imaginais que c'était de ma faute. Je lançais la mort sur un petit village heureux, banal. J'imaginais tout le monde en train de mourir. J'envoyais des typhons sur les maisons. La foudre. Des tornades. La bombe nucléaire. Les gens sortaient en hurlant mais disparaissaient, s'envolaient, fondaient. Certains de mes amis imaginaires, accrochés d'une main à une fenêtre ou à une cheminée, me suppliaient : « Jock ! Arrête ! Jock ! Pitié ! », puis à leur tour la catastrophe les dévorait. La catastrophe déclenchée par moi. Je sentais une énergie électrique m'envahir, me brûler. Et je riais, je riais, en regardant le village devenir une place de mort – ce qu'il était déjà en fait. Mais je me sentais mieux en me disant que c'était le résultat de ma volonté.

Franck fit une moue discrète, entre le dégoût et la compassion. L'île, les ruines et la compagnie de Jock le rendaient nerveux. Il y avait *quelque chose* ici. Comme un souffle froid. Un murmure. On ne pouvait pas s'y sentir à l'aise. Franck n'aurait jamais pensé qu'il croirait un jour aux théories sur l'énergie des endroits. Pourtant, dans le village délabré et pourri, il commençait à se poser des questions. Est-ce qu'un lieu pouvait être mauvais ?

— Vous en avez sur la figure, dit Jock.

Franck sentit les croûtes de boue noire qui maculaient ses joues. Il se frotta la peau avec frénésie pour les faire disparaître, jusqu'à ce que tout son visage le brûle. Le gardien l'observait, sans se départir de son sourire rêveur. Finalement, il approcha sa main de la bouche de Franck et, avec une douceur inattendue, ôta de sa lèvre supérieure une dernière croûte de terre.

— Je suis désolé.

— Ce n'est pas grave, dit Franck en haussant les épaules.

Pourtant, il sentait que ça pouvait l'être.

Porc-chien est un terme créé par l'écrivain écossais Galwin Donnell et utilisé de façon récurrente par le personnage central de ses dix romans, le détective Adrian Dickson Carr.

Sommaire

1 Apparition et popularisation de l'expression
2 Sens de l'expression
3 Notes et références

Apparition de l'expression

L'expression « porc-chien » apparaît pour la première fois dans *Addiction (s)*, roman de Galwin Donnell paru en 1947. Le terme est utilisé à deux reprises. Tout d'abord : « Il n'y a pas de soif qui puisse se taire en l'homme. Besoin de chair, besoin d'attention, besoin de violence, besoin de consolation… également insatiables. Le maudit les cumule tous, porc-chien de la société. » Alors que le détective Adrian D. Carr rencontre James Murray, le dealer albinos, il utilise à nouveau cette expression pour décrire ce dernier : « Quelle existence de loque, pensa Carr en regardant l'albinos peiner pour se redresser sur le coude, une vie de porc-chien, de terreau à douleurs[1]. »

Après la parution d'*Addiction(s)*, le journaliste Edgar MacLeod publie dans *The Herald* un article consacré aux derniers hommes des tourbières sur Lewis et l'appelle « Une vie de porc-chien, le terreau des douleurs[2] ». Par la suite, l'expression est fréquemment reprise dans les publications de l'époque. Donnell la réutilise dans huit de ses dix romans (elle n'apparaît ni dans *La Plainte*, ni dans *Veines*).

Elle est véritablement popularisée en 2002 par l'acteur Adrian Brody qui incarne le détective Carr dans le film *Mourir autant que possible*, tiré du roman du même nom, et qui l'utilise de manière répétée pendant la promotion du film, notamment sur le plateau du *Saturday Night Live*.

Elle figure également sur la stèle de l'auteur, sur l'île de Mirhalay où il a passé les vingt dernières années de sa vie.

Sens de l'expression

Porc-chien est le plus fréquemment une insulte, ou un terme péjoratif. La combinaison de ces animaux donne l'idée de quelque chose de « plus bas que la bête[3] ». Toutefois, le caractère fantastique et monstrueux de ce double animal inspire un certain respect. Le terme n'est pas employé pour les petits voyous que rencontre Carr, il est réservé aux cas d'extrême méchanceté, extrême laideur, extrême misère.

À plusieurs reprises, le terme est également employé de façon laudative. Il devient alors une sorte d'équivalent de notre « putain de » français. Ainsi, dans *Le Temps des morts*, Billy Edward est qualifié de « porc-chien de boxeur[4] », avec admiration, par le détective.

Notes et Références

Notes

1. Donnell Galwin, *Addiction (s)*, trad. Philippe Routot, Paris, Gallimard, 1950, pp. 15 et 63.

2. MacLeod Edgar, « Une vie de porc-chien, le terreau des douleurs », *The Herald,* 10 mars 1947, pp. 3-4.

3. Wright Helen, *Les Techniques narratives chez Galwin Donnell*, trad. Martha Peres, PUF, Paris, 1999, p. 115.

4. Donnell Galwin, *Le Temps des morts*,
trad. Philippe Routot, Gallimard, Paris, 1959, p. 89.

Sources

Cet article est en partie ou totalement issu de l'article
anglais de Wikipédia intitulé *Dogpig*.

Les flèches et les objectifs

« Un problème dépourvu de solution
intéressera peut-être l'étudiant mais ne
manquera jamais d'ennuyer le lecteur. »
Le Mystère de Thor Bridge,
Arthur Conan DOYLE.

Lorsque enseigner au collège lui était devenu
insupportable, Émilie – sur les conseils de sa
mère – avait vu quelqu'un. Une coach (disait
sa mère), une « accompagnatrice de projet »
(disait la carte de visite de la coach). Elle s'était
résolue à cette solution sans enthousiasme. Elle
en avait même un peu honte et avait préféré n'en
parler à personne (comme si, se disait-elle, elle
avait vu une voyante, ou un prêtre, comme si on
avait pu l'accuser de s'abandonner au charlata-
nisme, elle dont la rigueur intellectuelle était une
fierté). Pourtant, ses rendez-vous hebdomadaires
avec cette femme avaient eu raison de son scep-
ticisme initial et elle avait fini par reconnaître
qu'ils lui étaient bénéfiques.

Au cours des séances, elle avait tenté de définir des objectifs clairs à sa vie, d'établir un
planning de leurs réalisations, une hiérarchie

de ses priorités. Elle avait dessiné beaucoup de ronds et de flèches, collé des Post-it de couleurs différentes sur des tableaux géants. Elle avait également parlé beaucoup plus qu'à l'ordinaire (« nommé », disait l'accompagnatrice de projet qui paraissait heureuse dès qu'Émilie nommait).

Elle avait raconté à cette femme comment son envie d'aller travailler s'était peu à peu changée en une lutte contre elle-même, contre le sentiment d'être inutile. Elle avait dit son désintérêt croissant pour des élèves qui ne la respectaient pas, mais surtout (car Émilie était prête à mettre son propre ego de côté) qui *abîmaient* la matière qu'elle enseignait et qui était sacrée à ses yeux. Elle avait parlé de la violence des adolescents entre eux, violence qui finissait par la contaminer elle aussi, si bien qu'elle avait pu, un matin, approuver intérieurement lorsqu'une gamine avait suggéré à une autre de « se suicider tout de suite ». Elle avait parlé de la misogynie de ses classes qui traitaient les personnages féminins de putes ou se sentaient au contraire tenues de préciser dans leurs copies que telle femme amoureuse, chez Maupassant ou Flaubert, « n'était pas une pute », comme si Émilie elle-même avait pu en douter. Elle avait déclaré qu'elle avait peut-être atteint ses limites. Sa vision d'une carrière avait jusque-là été très simple : Émilie avait toujours pensé qu'elle n'exercerait un métier que si elle pouvait en tirer du plaisir. Or, ce n'était plus le cas.

C'était lors d'un de ces rendez-vous qu'elle avait exprimé pour la première fois son envie de commencer une thèse. La suite de la séance avait été consacrée à cibler ce qui la retenait. Émilie avait finalement isolé trois raisons majeures :

– le sentiment de régression (abandonner un poste de professeur pour redevenir étudiante à trente ans passés).

– la peur de l'échec (après une période si longue au collège, elle n'était peut-être plus capable de travaux intellectuels conséquents ?).

– l'impression de trahir Franck (elle avait parlé de leur projet d'enfant au cours d'un rendez-vous précédent, se demandant s'il pouvait être la solution à son mal-être).

— Il va me tuer, avait-elle dit à la coach qui avait levé un sourcil interrogateur.

C'était la réaction qu'elle avait chaque fois qu'elle considérait qu'Émilie ne *nommait* pas réellement le nœud du problème.

— Non, avait reconnu Émilie, non, c'est vrai... Il ne va pas me tuer. Pas du tout. En fait, il va me dire que si c'est réellement ce que je veux faire, alors je dois me lancer. Il ne va pas m'en empêcher, et même il ne va pas faire d'objections. Simplement... il va avoir cette façon de me regarder, cette petite tristesse au coin de l'œil, presque rien, mais assez pour que je comprenne que je le blesse et ça... c'est insupportable.

— Qu'est-ce qui est insupportable ? avait demandé la coach.

— Faire du mal à quelqu'un qu'on aime. C'est insupportable.

— Suffisamment pour que vous envisagiez de renoncer à la thèse ?

Émilie avait hésité.

La semaine suivante, en débutant le rendez-vous, elle avait déclaré :

— Si je ne m'aime pas moi-même alors je ne peux pas aimer Franck correctement non plus. Et je ne peux pas m'aimer si je continue à travailler au collège. La thèse, c'est mieux pour tout le monde.

— Ce sont vos propres objectifs que nous établissons ici, avait rappelé la coach, vous ne pouvez pas décider « pour tout le monde ».

Émilie avait hoché la tête et murmuré : « Oui, évidemment. » Pourtant, elle était persuadée qu'elle prenait la meilleure décision possible pour elle comme pour Franck, et elle aurait voulu qu'il s'en aperçoive. En préparant son intervention pour les Journées d'études, elle était bien sûr animée par l'ambition d'être reconnue par ses pairs (et notamment Stafford, qu'elle ne pouvait se permettre de décevoir après l'offre de poste qu'il lui avait faite) mais aussi par celle de convaincre Franck qu'elle avait fait le bon choix, qu'elle était heureuse, passionnée et épanouie en tant que chercheuse (et belle aussi, incroyablement belle, solaire en quelque sorte, poursuivait-elle lorsqu'elle se détachait du texte de sa communication pour rêvasser). Elle voulait qu'il la voie dans ce qui était pour elle la pleine réalisation de son être et qu'il l'en aime d'un amour accru.

Son accompagnatrice de projets lui aurait probablement dit qu'elle se fixait des objectifs disproportionnés et qu'il fallait ramener l'exercice à ce qu'il était vraiment : une intervention de vingt minutes dans un colloque de spécialistes. Mais Émilie était livrée à elle-même et à la démesure de ses rêves.

— Nous dirons donc, en conclusion, marmonnait-elle en s'adressant à un auditoire imaginaire dans la petite chambre, nous dirons que... En conclusion, nous dirons, et de manière irrémédiable, que pour conclure...

Elle avait perdu le fil de ses pensées à nouveau. Sur ses lèvres flottait le sourire lointain que donnent les fantasmes de bonheur.

Les contes de la Grande Île

« — Bouh, fit le marchand de sommeil en apparaissant dans le dos de
Carr.
Quelque chose clochait dans sa voix,
ou dans son visage aplati. Il paraissait
à deux doigts de se mettre à pleurer. »

Galwin DONNELL, *Addiction(s)*.

Franck avait accepté de retrouver Jock le lendemain, au même endroit et à la même heure. Il
suffit de deux fois pour qu'un rendez-vous
devienne un rituel, se dit-il en mettant ses chaussures.

Alors qu'il quittait la chambre, il croisa les yeux
paniqués d'Émilie qui donnait sa communication
dans l'après-midi. Ses yeux immenses, terriblement ouverts. Il ne sut pas comment répondre à
cette angoisse. Il ferma la porte sur elle.

Il commençait, malgré sa détermination à ne
pas les écouter, à avoir des doutes. Est-ce qu'il
pourrait vraiment partir en Angleterre ? Là où
son monde à elle serait la seule chose qui existait.
Là où il n'aurait plus d'univers de repli. Est-ce
qu'il pourrait lui pardonner l'attente s'il n'avait

plus de travail ? La question de l'argent se posait, bien sûr, mais elle était accessoire. L'absence de travail était plus inquiétante comme perspective d'inaction que comme réduction drastique des revenus. Franck s'imaginait traînant en caleçon dans un appartement impersonnel, une tasse de café froid à la main, saoulé de vidéos YouTube – des chatons, des accidents, des clips de rap, des chatons encore, un nombre impensable de vidéos de chatons. En fait, il était probable qu'une civilisation extraterrestre qui tenterait d'appréhender les différentes formes de vie sur la Terre par le biais du contenu de YouTube finît par se représenter un monde totalement dominé par les chats – en termes de nombre comme en termes de puissance –, lesquels portaient des perruques de mie de pain et vivaient dans des boîtes en carton fleuries, marques indéniables d'une civilisation raffinée, tandis que des humains maladroits (vidéos de chute) skataient péniblement dans les zones commerciales partiellement désaffectées des grandes villes américaines, attendant qu'un chat les adopte ou leur laisse un peu de nourriture.

Alors qu'il réfléchissait à cette possibilité, l'idée qu'il n'aurait que ce genre de théories pour occuper des journées, des semaines et des mois en Angleterre lui parut intolérable. Il allait passer d'un statut de personne utile et nécessaire à la société à celui de parasite semi-dément. Il allait devenir *une sorte de Jock*. Est-ce que l'amour pouvait résister à un tel changement ? Et si Émilie, par chance, l'aimait toujours mais que lui se haïssait, quel bonheur était possible ? Aucun, sûrement.

152

Sur le petit chemin qui bifurquait vers le *writing shack*, il aperçut Martin en compagnie de l'une des étudiantes écossaises. Elle riait très fort en inclinant la tête en arrière. La scène avait pour Franck un air de déjà-vu : où qu'il se déplaçât, Stafford paraissait toujours être accompagné de l'une des jeunes filles venues de l'université d'Édimbourg (parfois par l'un des garçons) en proie à une extase absolue qui n'inspirait au professeur que de la bienveillance, ou peut-être de la tendresse. Franck se demanda ce que ces étudiantes recherchaient dans la compagnie de Stafford : les conseils du maître à ses disciples, un poste comme celui qu'Émilie venait d'obtenir, ou une aventure, une relation sexuelle précipitée et intense sur le flanc d'une des collines de Mirhalay. À moins qu'elles ne recherchent rien de précis, que la seule fréquentation (proximité) de Stafford lors d'une de ces promenades soit suffisante pour les rendre heureuses. L'étudiante blonde qui riait à présent à ses côtés avait en effet l'air de ne rien vouloir de plus, d'avoir déjà tout obtenu par le simple fait de parler avec lui. C'était comme si Franck pouvait *voir* les phéromones heureuses, comblées, qui émanaient de la jeune fille en un nuage brillant. Certaines personnes étaient douées de cette force d'attraction : Donnell l'avait eue – malgré son isolement, malgré son impolitesse, en dépit de tout ce qu'il pouvait être, de tout ce qu'il pouvait exsuder de désagréable, les gens continuaient à vouloir être près de lui, les gens rêvaient de traverser la mer pour passer un moment en sa compagnie. Stafford l'avait aussi, à sa manière détachée et joviale. Franck rêvait de l'avoir.

Il ressentit à nouveau une brûlure à la poitrine, cette jalousie mêlée d'admiration que lui inspirait le professeur, ce désespoir de ne pas être lui. À ce sentiment s'ajoutait désormais le reproche intérieur qu'il adressait à Stafford, seul responsable de la vie amorphe qui l'attendait à Cambridge, responsable des pizzas mangées à même le carton et des heures de visionnage de chatons sur Internet. Alors que Franck n'aimait même pas les chats.

Stafford le vit à son tour et lui fit un signe de la main, absolument amical. Il n'avait pas de réserve à l'égard de Franck. Il ne devait même pas savoir ce qu'était la jalousie. Et s'il lui arrivait d'aller sur YouTube, c'était probablement occasionnel, *poussé* par un invité qui tenait à lui montrer une vidéo. Stafford était parfait, tout simplement.

Franck lui retourna son geste sans s'arrêter. Il avait hâte de retrouver Jock. Au moins, en sa compagnie, il ne se sentait pas minable. Il avait même l'impression d'être un homme heureux et épargné.

Ils dépassèrent les maisons où ils s'étaient attardés la veille. Franck sentait en Jock une excitation inhabituelle, un frémissement de tout le corps. Il ne parlait pas, il était concentré sur sa volonté d'*arriver* quelque part. C'était le contraire d'une promenade, il marchait les jambes si tendues qu'on eût dit qu'il n'avait pas de genoux.

Au détour des ruines apparut soudain un bâtiment aveugle mais intact. Solide, entier, recouvert d'un toit. Ses fenêtres étaient murées par des blocs agglomérés qui n'appartenaient certainement pas à l'époque des pêcheurs de Mirhalay. Jock guettait la réaction de Franck – ses yeux, toujours, ses yeux avides de quelque chose. Il attendait.

— Qu'est-ce que c'est ? demanda Franck.

Mais Jock ne répondit pas. Il ouvrit la porte avec une petite clé posée sur le haut du cadre et, en mettant un doigt sur ses lèvres, disparut à l'intérieur. Franck entra à sa suite.

— Fermez derrière vous, ordonna le gardien.

Il obéit. On n'y voyait rien. Il entendit Jock se déplacer dans le noir, fouiller, trébucher. Puis la puissante lumière bleue d'une torche l'aveugla brutalement.

— Éteignez ça !

Le faisceau éclaira la pièce dans laquelle ils se trouvaient, révélant des murs recouverts de formes géométriques répétitives. Franck avança la main. C'étaient des blocs de mousse. L'endroit ressemblait à la cellule capitonnée d'un vieil hôpital psychiatrique.

— Où est-ce qu'on est ? demanda-t-il, inquiet.

Jock rit. Il y avait quelque chose d'étrange dans son rire, et dans la voix de Franck. Des fins nettes, sans écho.

— Vous ne remarquez rien ? demanda le gardien.

Son comportement commençait à agacer Franck. Le mystère dans sa voix, comme celle d'un mauvais présentateur télé dans un jeu à suspens.

— Je ne ris plus, dit-il.

Et sa réplique elle-même l'énerva. Elle n'avait rien d'authentique. Peut-être sortait-elle d'un livre de Galwin Donnell, comme presque tout ici. Mirhalay et ses occupants semblaient parfois n'être que le produit de l'imagination de Donnell – un Donnell encore vivant, tranquillement assis à son bureau quelque part à Édimbourg et qui, par un effort de création intense, maintenait la petite île hors de l'eau et y déplaçait ses personnages.

— Il faut écouter, dit Jock.

— Je n'entends rien.

— Justement.

— Je n'entends rien !

Et comme Franck hurlait cette dernière phrase, il comprit. Le bruit de la mer avait disparu, totalement disparu.

— C'est...

Il cherchait à se souvenir du nom de ces pièces.

— Une chambre sourde, dit fièrement Jock. Je l'ai construite tout seul.

— Pourquoi ? voulut savoir Franck.

Sur cette île où il n'y avait rien, la chambre sourde ne lui paraissait pas être un choix évident. Il y aurait eu des centaines d'autres choses à bâtir pour se rendre la vie agréable.

— Je suis né ici, répondit Jock, et je me suis rendu compte très vite que j'allais rester là. Reprendre le boulot de mon père, devenir le gardien de Mirhalay. Il n'y avait rien d'autre que je sache faire. J'allais vivre toute ma putain de vie sur cette île. Alors il y a quelques années... j'ai eu envie... Je ne sais pas trop comment l'expliquer. Je voulais savoir ce que ça faisait de ne pas être un îlien, je crois. Et ça, ça voulait dire ne pas entendre ce bruit des vagues qui m'avait envahi les oreilles à chaque seconde de ma vie. Donc... voilà. Ici, c'est le seul endroit sur Mirhalay où l'on peut imaginer qu'on est ailleurs.

Franck fut pris de pitié. Il aurait voulu serrer le gardien dans ses bras. Bien sûr, il n'osait pas – Jock n'aurait jamais supporté ce genre de gestes d'affection –, mais il n'y avait pas de mots dans sa langue, dans aucune de leurs deux langues, pour lui exprimer son empathie.

— Est-ce que vous savez pourquoi votre père a accepté ce boulot ? demanda-t-il.

Et bien sûr, ce qu'il voulait vraiment demander par là, c'était pourquoi Jock avait accepté lui aussi, quelles étaient les raisons qui l'avaient retenu sur Mirhalay.

— Je suppose que ça paraissait une bonne idée, dit Jock. Une sacrée bonne idée. Pour s'occuper de sa famille, en tout cas, c'était mieux que pêcheur. Parce que sur Barra, si tu n'es pas pêcheur, tu n'es pas grand-chose. Et mon père n'en pouvait plus des bateaux et des gars sur les bateaux avec leurs blagues qui tournaient toutes autour des prostituées ou des poissons et parfois, de temps en temps, quelques blagues sur les Anglais mais la plupart du temps seulement sur les putes et sur le poisson, toute la journée, ça a complètement dégoûté mon père de la pêche. Alors venir ici, ça lui a paru être l'occasion du siècle. Et ça l'était, en un sens, parce que le salaire était vraiment bon et que sans ce boulot, il aurait probablement dû partir à Édimbourg, ou même à Londres, quelque part où il y avait une économie fonctionnelle qui ne reposait pas que sur le poisson. Et puis...

Jock s'interrompit et fouilla à tâtons dans l'obscurité. Oh non, pensa Franck en entendant un tintement. Le gardien produisit une bouteille de whisky qu'il ouvrit avec les dents puis soupira, en secouant la tête :

— C'est le problème avec les bonnes idées... Une fois ici, il n'y avait plus moyen de partir parce que, en comparaison, tout était moins bien, ou parce que, en théorie, on avait de la chance d'y être.

— En théorie... répéta Franck machinalement.

Il était concentré sur la pensée qu'il devrait refuser la bouteille lorsque l'autre la lui tendrait.

— Oh, ce n'est pas si mal, souffla Jock. Quand l'impression d'être coincé comme un rat veut bien me laisser tranquille, je me dis que Mirhalay est un endroit... intéressant.

Franck eut un petit rire. Il n'aurait pas choisi ce qualificatif. Il lui semblait au contraire que jusqu'à l'arrivée de Galwin Donnell en 1963, Mirhalay n'avait eu de cesse de démontrer qu'elle n'intéressait personne. Il demanda tout de même poliment au gardien ce qui faisait, selon lui, l'intérêt de l'île et à sa grande surprise, Jock se lança dans un récit enthousiaste à la nature indéterminée, quelque chose entre le conte et le prospectus touristique.

Il parla d'un temps où, des dizaines de milliers d'années auparavant, le niveau de la mer était beaucoup plus bas et où l'île s'étendait sur une surface considérable, elle était même reliée à Barra, aux autres Hébrides et à l'Écosse entière. Il expliqua à Franck (qui se retrouvait sans qu'il sût comment avec la bouteille de whisky entre les mains) que ce qu'ils appelaient Mirhalay aujourd'hui n'était que le sommet d'une énorme formation rocheuse qui s'étalait désormais au fond de l'eau. À la base de l'île actuelle, au pied des falaises, presque entièrement envahi et donc dissimulé par la mer, se trouvait un réseau de cavernes profondes et sinueuses. Elles avaient servi de repaires aux pirates pendant des siècles. Il s'y était joué des aventures passionnantes, des poursuites entre les embarcations de hors-la-loi et les vaisseaux des soldats de l'Empire, dans leur uniforme aux boutons rutilants, aux brandebourgs parfaitement alignés. Les rochers en avaient terminé plus d'une, laissant les carcasses de bateaux, ventre à l'air comme des baleines crevées, servir de perchoir aux mouettes. Le réseau de cavernes créait également dans toute la zone de puissants courants souterrains. La mer, en s'engouffrant dans leur succession étroite, tourbillonnait et plongeait sous la roche de façon particulièrement traître (ici, ses mains poursuivirent sans mots, reproduisant les maelströms de l'Atlantique dans le silence artificiel de la chambre sourde).

Jock parla encore des guerriers Vikings dont les épées étaient trop lourdes et qui révéraient des esprits habitant les plantes couchées par le vent. Il parla des prêtres peureux qui avaient christianisé l'île tout en refusant d'y vivre, ne se déplaçant que pour les messes. Il parla des habitants de Mirhalay qui avaient adoré à la fois les sirènes et la Vierge et leur avaient élevé de petits autels de pierre conjoints le long de la côte, ainsi que de l'haleine de poisson des îliens que rien ne pouvait masquer, rien, pas même l'ail des ours qu'ils cueillaient par bouquets entiers sur le pré de MacPhee à l'époque où celui-ci n'avait pas encore de nom.

Les connaissances du gardien étaient immenses et désordonnées. Elles mêlaient la géologie, l'histoire, la géographie maritime et la zoologie. C'était une encyclopédie chimérique et fiévreuse que Jock ouvrait pour Franck. Le souffle court, il passait d'un sujet à l'autre sans le quitter des yeux et ce que Franck lisait dans son regard, c'était une supplique de ne pas l'interrompre, une peur même, comme s'il avait eu conscience qu'en ce moment précis il aurait suffi d'un rien de la part de Franck, un bâillement ou un soupir, le moindre signe de désintérêt, pour que toute sa vie soit invalidée. Alors Franck continuait à écouter, ou à montrer qu'il écoutait, pour que Jock soit rassuré et qu'à travers l'histoire de la Grande Île (une histoire qui excluait délibérément Donnell, nota-t-il), ce soit l'existence de son gardien qui soit réaffirmée. Il n'osait pas interrompre l'exposé tentaculaire, il hochait la tête, émettait tous les sons de gorge par lesquels on marque l'approbation et soutenait le regard fiévreux du gardien en essayant de ne lui communiquer que de la bienveillance, alors même qu'une part de son esprit pensait avec angoisse à l'heure qui tournait, au téléphone dans sa poche qui pourrait le lui confirmer et à l'impossibilité dans laquelle il était de consulter ce même téléphone sans que Jock le remarque. Condamné au silence, il buvait pour oublier le passage des secondes.

— Enfin bon, conclut le gardien de façon abrupte, il faut bien vivre quelque part.

Lorsqu'ils sortirent de la chambre sourde, le bruit des vagues les assaillit aussitôt avec une violence nouvelle. Il les fit presque reculer.

— Ça, c'est le problème, reconnut Jock, le retour à la réalité. On ne peut rien y faire.

Franck regarda l'heure. Il avait raté la reprise des conférences. C'était Émilie qui devait ouvrir l'après-midi.

Les poupées sans âme
Journées d'études – Émilie Perret

— Les figures féminines qui peuplent les romans de Donnell, commença Émilie en essayant de ne pas trembler (voix, mains, nerf de la lèvre supérieure), sont rarement des spécimens uniques : elles existent à la fois en tant qu'exemplaire original et en tant que répliques ou échos de celui-ci. Lorsqu'une femme intervient dans une intrigue, pourrait-on dire, elle le fait à la manière dont un caillou entre dans l'eau, en produisant une série de vagues concentriques qui *ne sont pas* la pierre lancée mais autant de traces de son existence.

Elle avait eu beaucoup de mal à exprimer cette idée de façon claire et pourtant il lui semblait qu'il s'agissait du cœur de sa communication.

— Que l'on pense à Carol dans *Addiction(s)*, à Kinga, la meurtrière du *Pont*, à Jane dans *Le Temps des morts* ou même à Emily Rose, toute ces figures féminines possèdent des doubles ou des échos. Ainsi, Carol a un sosie qui danse au Sour Club et qu'elle ne rencontrera jamais. Elle a, par ailleurs, une nièce nommée *elle aussi* Carol. Kinga ressemble étrangement à Moreen, l'amante de jeunesse de Carr « aux yeux de jacinthe fanée ». Jane a les cheveux blonds peroxydés, comme la secrétaire sur laquelle enquête le détective, comme l'actrice avec qui le boxer Edward prétend avoir eu une liaison, et par deux fois dans le roman un homme l'aperçoit sur le front de mer un soir où elle ne s'y trouve pas. Emily Rose, bien sûr, a une sœur jumelle disparue, si bien que le doute frappe parfois Carr lorsqu'il regarde la jeune femme : elle pourrait être *l'autre* sœur, non pas Emily mais Mona, elle pourrait – tout en restant identique – être une tout autre personne.

Émilie adorait la thématique de la gémellité dans *Le Silence d'Emily Rose*. Un grand sourire lui monta aux lèvres sans qu'elle s'en aperçoive.

— Et la confusion s'étend, dit-elle avec enthousiasme, jusqu'aux costumes qui reviennent d'un roman à l'autre. La robe en dentelle de Carol dans *Addiction(s)* est la même que celle que Carr achète à Emily Rose, et les chaussures aux talons rouges de Jane (« celles dont on disait qu'elles avaient pris cette couleur parce que leur propriétaire marchait trop souvent dans le quartier des abattoirs ») apparaissent dans la vitrine d'un magasin de luxe dans *Se taire à jamais* : « Sur leur plateau de verre tournant, avec leurs talons rouges, elles étaient comme un crachat à la face des pauvres. »

En d'autres termes – et sans aller jusqu'à dresser la liste exhaustive de ces échos –, on peut dire que tout ce qui compose les figures féminines (leur nom, leur physique, leur voix, leurs vêtements) est une succession de fragments sans cesse réarrangés et réutilisés sur d'autres, comme si Galwin Donnell assemblait et démontait constamment des poupées aux formes de femme à partir d'un nombre limité de pièces. On pense bien sûr au travail de Hans Bellmer ou à l'Olympia des *Contes d'Hoffmann*...

Ici, Émilie se demanda pourquoi elle avait noté cette dernière phrase. Elle n'avait aucun élément pour développer. Elle se mordit la lèvre et reprit :

— Cette assimilation des figures féminines à des machines dont on assemble les rouages se constate également dans le vocabulaire employé pour les décrire. On trouve très peu de comparaisons animales chez Donnell, alors qu'à l'ordinaire le roman noir nous épargne rarement l'assimilation de la femme fatale au félin. En revanche, on observe un déploiement du champ sémantique de la technique : les chevelures sont « crantées », « dentelées », « au bord tranchant », les jambes « fuselées », « nettes », « parfaites à la jointure », les bouches sont « dessinées » ou « peintes », les ongles sont des « outils de précision », le nombril est la « seule trace sur le ventre que cette femme avait pu naître un jour ». Quant aux fesses (ne rougis pas, s'intima-t-elle), obsession majeure de Donnell s'il en est (je rougis), et bien les fesses sont « des globes montés sur ressorts », des « sphères ouvertes » ou même, dans *Veines*, « la maquette d'un système astronomique défiant la gravité ». De cette manière, le monde décrit par Donnell – même lorsqu'il n'est pas médié par la narration à la première personne d'Adrian Dickson Carr – est le monde tel qu'il se présente à un homme souffrant d'addiction sexuelle, au sens où les femmes y sont des mécanismes disponibles à une *utilisation*. Elles sont, pour reprendre la terminologie de Heidegger, des « êtres-sous-la-main ». D'*Addiction(s)* au *Pont des anguilles*, il n'y a pas d'essence de la femme, il n'en existe que des morceaux.

Émilie prit une gorgée dans le verre d'eau qui était posé devant elle. Elle constata avec plaisir que sa main ne tremblait plus. Détachant les yeux de ses notes, elle les leva timidement vers la salle. Au premier rang, Martin Stafford la regardait avec intérêt.

— Cependant, reprit-elle d'un ton presque mystérieux, il existe une exception majeure ; on ne pourrait prétendre traiter de la question féminine chez Donnell si l'on n'abordait pas le cas de Silence, dans *Les Lèvres pâles*, cette jeune fille qui entretient des relations épistolaires avec des tueurs emprisonnés et qui finit par engager Carr pour qu'il en fasse évader un. Silence – on ne connaîtra jamais son vrai nom, uniquement ce pseudonyme – se met en scène dans sa correspondance sous une dizaine d'identités différentes. Ces femmes qu'elle prétend être sont formées elles aussi des fragments que nous venons d'aborder (mêmes prénoms ou mêmes caractéristiques physiques). Silence en joue de manière très consciente – parfois même ironique. Je voudrais vous relire ce dialogue entre elle et Carr, à la page 124 du roman. C'est au moment où l'évasion se met en place. Tom Kerry sera bientôt libre et réalisera immanquablement que Silence s'est fait passer pour une autre femme. Carr examine les photographies que celle-ci a envoyées au tueur – photographies où, encore une fois, la femme aux cheveux blonds peroxydés semble être Jane, du *Temps des morts* – et il lui demande :

> — Pourquoi est-ce que tu t'es emmerdée à faire semblant d'être *ça* ? Tu ne crois pas qu'il aurait été content que n'importe qui le contacte ? S'intéresse à lui ?

— Dans ce type de relations où l'on ne connaît pas l'autre, on l'imagine toujours, dit Silence. Et quand on l'imagine, c'est pour se donner envie. Même s'il avait eu une vraie photo de moi, il aurait voulu croire que j'étais mieux. Il aurait pensé à un détail de moi qui pouvait lui plaire. Par exemple, il aurait imaginé que j'avais de belles mains. Ou de belles dents. Il aurait pu passer des nuits à penser à mes dents qu'on ne voit pas sur la photo, à imaginer leur perfection. Il aurait reconstruit tout mon être autour d'un détail qui pourrait lui donner envie de coucher avec moi.

— Pourquoi ?

— Franchement je n'en sais rien... Pourquoi est-ce que les hommes font ça ?

Les hommes assis devant Émilie eurent un sourire. Certains (parmi lesquels Stafford) paraissaient connaître la réponse à cette question mais ne pas être prêts à la donner. D'autres en revanche (notamment MacMillan et les étudiants) semblaient trouver la question particulièrement injuste. Les femmes de l'assistance regardaient les hommes sourire et les hommes se sentaient obligés de sourire davantage.

— Mais observons Silence de plus près, à présent, proposa Émilie. Les descriptions physiques de ce personnage sont perturbantes : elles la rapprochent davantage, si vous me permettez cette comparaison, de Jabba le Hut que d'Emily Rose ou de Carol. Donnell insiste sur son poids, ses bourrelets, le rose inhabituel de sa peau, son absence de pilosité et son immobilité inquiétante. Il n'y a pas de mise en forme du corps selon les standards féminins : on ne distingue pas dans l'amas rose qu'est Silence les pièces qui forment les autres femmes donnelliennes, coiffure, seins, ventre, jambes. Sa placidité est également très étonnante : elle n'a ni la voix chaude et rauque de Jane ou de Kinga, ni les aigus d'Emily Rose « qui se brisent si souvent en sanglots ». Elle parle d'une voix neutre et ne s'emporte jamais. Silence est comme une sorte de plante ou d'alien qui joue à être humaine. Je sais que, le plus souvent, les études de genre sur Donnell laissent le personnage de Silence de côté, avançant qu'elle n'est pas réellement une femme puisqu'elle n'en possède aucune des caractéristiques, qu'elle n'appartient pas à ce panthéon des figures féminines décrites plus haut. Ils soulignent que c'est un personnage qui ne se définit que par ce qu'elle *n'est pas* ou *n'a pas* et qu'il est donc impossible de l'inclure dans un système de référencement des figures. Certains y voient même une faiblesse de construction. C'est une erreur selon moi.

Ici, Émilie prit un nouveau temps pour respirer et boire une gorgée. Ce faisant, elle parcourut l'assistance du regard. Deux fois.

— Silence est probablement la seule *vraie* femme que l'on trouve dans les romans de Donnell, poursuivit-elle d'une voix étonnamment faible pour une conclusion de cette portée. Je crois que ce personnage, opposé à toutes les poupées sans âme, ce personnage que l'on ne peut pas utiliser et qui se joue de toutes les identités féminines imposées…

Elle s'interrompit, sentant le nerf de sa paupière tressaillir. Franck n'était pas dans la salle. Il n'était pas venu l'écouter parler.

— Je crois que ce personnage, répéta-t-elle en se ressaisissant, constitue la vraie vision de Donnell sur l'autre sexe : une *absolue* et inquiète incompréhension.

Un élément du paysage

« Il n'y a que chez lui qu'existaient conjointement cette obsession absolue de la mort, seconde après seconde, et ce désintérêt pour tout effet tragique, qu'il qualifiait de politesse de tsarine. »

George BARNEY,
chez Bantham House,
cité dans *Les Derniers jours
de Galwin Donnell*.

Au retour, ils ne traversèrent pas le village mais passèrent par le cimetière qui se trouvait sur une petite butte, une centaine de mètres après les maisons.

Les tombes ne possédaient qu'une stèle dressée face à la mer, pas de pierres horizontales pour recouvrir les sépultures. Cela donnait à Franck l'impression désagréable qu'il marchait sur les cadavres. Sans leur jumelle au sol, les pierres grises ressemblaient à des animaux fixant l'horizon, debout sur leurs pattes. Elles formaient un troupeau disparate, de hauteurs et de formes différentes, mais toutes étaient taillées dans le même granit que le lichen mangeait de brun.

Franck déchiffra sur les tombes les moins abîmées quelques noms et dates qui ne pouvaient plus rien dire à personne. Les parents de Jock, lui avait expliqué celui-ci, reposaient dans une concession familiale à Castlebay, sur Barra. Les derniers îliens enterrés sur Mirhalay étaient morts dans les années 30. Qui se serait souvenu d'eux ? Les Calum et les Ailein étaient devenus des mots vides de sens que la pierre retenait à peine et qu'en s'effritant elle abandonnerait bientôt à la nature sauvage.

— Quand je suis ici, dit Jock, je pense à toutes les choses que ces gens n'ont pas connues. Et puis à toutes les choses que l'île en général n'a pas connues. Et je finis par faire la liste de toutes les choses que moi je n'ai pas connues. Et là il faut que je m'arrête parce que ça me déprime.

Franck ne répondit rien. Il trouvait que Jock avait toujours l'air plus ou moins déprimé.

— Je pourrais publier une connerie de recueil, ajouta le gardien.

Et il commença à réciter, tout en marchant entre les tombes :

— Je n'ai jamais vu une montagne, et je n'ai jamais vu un lac. Je n'ai jamais vu un gratte-ciel. Je n'ai jamais vu…

— Je n'ai jamais vu Venise, dit Franck pour l'aider.

— Je n'ai jamais vu de cheval, dit Jock – ce qui semblait plus grave.

— Je n'ai jamais vu d'étoiles filantes, ajouta rapidement Franck qui exprimait un vrai regret (il les ratait toujours, même lors des nuits d'août où elles étaient légion, il semblait fixer irrémédiablement le mauvais coin du ciel).

— Je n'ai jamais vu d'enfants, dit Jock, je veux dire *vraiment* vu. J'en ai aperçu à chaque fois que j'allais sur Barra. Mais je n'ai jamais passé de temps avec un enfant.

— Je n'ai jamais vu de temples grecs.

Franck prit conscience que sa liste, même si elle n'atteindrait jamais la longueur de celle de Jock, le déprimait lui aussi. Quelques années auparavant, en se pliant au même jeu, il aurait listé les choses qu'il comptait voir un jour. Maintenant, et bien qu'il n'ait pas encore trente-cinq ans, il savait qu'il énumérait les choses qu'il ne verrait sûrement jamais.

— Je n'ai jamais vu d'Asiatiques.

— Je n'ai jamais vu de girafes...

— Je n'ai jamais vu de parkings souterrains.

— Je n'ai pas non plus vu, continua à réfléchir Franck, de lions, ni d'hippopotames, ni de babouins, ni aucune, en fait, des créatures représentées dans les paquets de biscuits Z'animo quand j'étais petit alors que j'étais sûr que je les rencontrerais un jour.

— Des biscuits quoi ?

— Z'animo, répéta Franck, mais je crois qu'ils ont arrêté de les produire.

— Je n'ai jamais vu de biscuits Z'animo, dit le gardien d'un ton faussement atterré.

Ils sourirent tous les deux, sans se regarder, les yeux tournés vers le large.

— Cet endroit est incroyable, murmura Franck.

La côte s'incurvait vers l'intérieur de l'île et la mer, bleu sombre, suivit le flanc pâle du rocher comme si elle avait cherché à rayer la pierre crayeuse. De la butte où ils se tenaient, Jock et Franck n'étaient qu'à quelques mètres de l'eau mais la surface étale qui s'étirait au-dessous d'eux leur donnait l'impression d'être au sommet de quelque chose de plus grand, ou peut-être au bout du monde. L'envie de plonger était forte, et les deux hommes sentaient que d'ici on ne pouvait faire que des sauts magnifiques, qu'il leur suffirait d'ouvrir les bras pour effectuer d'impressionnants sauts de l'ange. La splendeur de l'endroit annihilait toute possibilité d'un plongeon raté. Les stèles, d'ailleurs, étaient toutes tournées vers la mer, comme si elles aussi avaient ressenti l'appel du large.

— Ma mère venait souvent ici pour peindre, dit Jock.

Franck hocha la tête.

— Elle ne peignait que cette vue-là, continua le gardien. La maison était pleine des tableaux de ma mère qui représentait encore et encore le même paysage. Je n'ai jamais vraiment compris pourquoi elle était obsédée à ce point par cet endroit.

— Ils étaient bons ? demanda Franck.

— Quoi ? Les tableaux ?

Jock éclata de rire.

— Non, malheureusement non. Je dois dire que sur la centaine de croûtes qu'elle a laissées, il n'y en a pas une seule qui vaille le détour.

Il lança la bouteille qu'il venait de terminer dans les herbes hautes. Elle s'écrasa sur la végétation avec un bruit mou.

— Continuez sans moi, dit-il à Franck, je dois pisser.

Il s'éloigna de quelques pas entre les tombes. Franck poursuivit sa route, sans oser lui demander de ne pas uriner sur les sépultures. Il avait beau savoir que les tombes avaient été abandonnées par tout un village, il était mal à l'aise à l'idée de ne pas leur montrer un respect particulier. Pour Jock, elles semblaient ne pas être différentes des rochers ou des plantes mais pour Franck, elles avaient tout de même été des *gens*.

Il profita de l'absence de son compagnon pour accélérer le pas. Avec un peu de chance, les Journées d'études auraient commencé en retard et il pourrait écouter la communication d'Émilie. Au moins la fin. Il marchait de plus en plus vite, hésitait même à se mettre à courir et faisait un ou deux petits sauts dans l'herbe avant d'y renoncer. Cette moitié d'effort suffit à lui donner un point de côté.

Les bâtiments de l'école apparurent bientôt sur sa gauche, en contrebas. Franck avala sa salive avec appréhension. La marche n'avait pas dissipé son ivresse et il était près de quatre heures. Deux mauvais points pour lui.

En descendant vers l'école, il reconnut devant la porte d'entrée les silhouettes d'Émilie et de Martin. Elle devait donc avoir fini de parler. Il ne savait plus s'il devait accélérer ou ralentir maintenant qu'il était trop tard. Il constata avec surprise qu'Émilie fumait.

Il avançait en préparant quelques phrases d'excuses qui faisaient peser la faute de son absence sur Jock et ses mauvaises manières, son alcoolisme tragique, sa bizarrerie. Son haleine semblait être devenue solide dans sa bouche. Il se passait la langue sur les dents dans l'espoir de l'en détacher.

Il arrivait presque devant eux quand Émilie et Martin l'entendirent et, d'un même mouvement, levèrent la tête dans sa direction. Il y avait une synchronisation parfaite dans leur mouvement et à la vue de leurs deux visages tournés vers lui, Franck vacilla.

Il était soudain frappé par l'étrange similarité physique qui existait entre les deux. Il n'aurait pas su dire d'où venait cette impression. Martin était très grand, brun, la mâchoire large et les yeux clairs. Son visage était marqué de rides profondes autour de la bouche et sur le front – une seule ligne mais parfaitement droite et enfoncée dans la peau. Émilie était au contraire petite, fluette et sa peau était si pâle que Franck prétendait qu'elle brillait dans le noir. Mais en dépit de toutes leurs différences, ils se ressemblaient. Ils avaient la même manière de bouger, lente et gracieuse, la même manière de rire en rejetant la tête en arrière et la même expression mélancolique lorsque leurs visages étaient au repos. Les excuses que Franck retournait dans sa tête disparurent d'un coup, chassées par le choc de cette ressemblance inopinée. Il se retrouvait muet, ivre et triste. Parce que, d'une certaine façon, cette ressemblance signifiait que l'univers avait décidé de placer un signe de reconnaissance en eux pour que Martin et Émilie puissent, au moment de leur rencontre, savoir que leurs destins étaient liés. Et quelle place lui restait-il à lui, Franck, face à cette saloperie de l'univers ?

— Est-ce que tout va bien ? demanda Stafford avec une inquiétude si réelle que Franck comprit que le choc se lisait sur son visage.

Il se passa la main sur le front et y sentit une sueur acide.

— Où est-ce que vous en êtes dans les conférences ?

Il feignait la désinvolture avec peine. Le regard d'Émilie lui donnait déjà la réponse. Elle écrasa sa cigarette d'un geste rageur et retourna à l'intérieur du bâtiment. Stafford eut un sourire gêné :

— Vous l'avez ratée. C'est dommage, elle était formidable.

— Elle est toujours formidable, répondit Franck dans un tremblement.

Stafford lui posa une main paternelle sur l'épaule.

— Vous sentez le whisky, docteur. Vous feriez peut-être bien d'aller vous coucher.

Franck se sentait en effet épuisé, la tête lourde. Il n'avait pas la force de discuter maintenant, ni même l'envie de demander pardon ou de l'obtenir. À peine monté dans la petite chambre, il s'effondra sur le lit.

Extraits de *Living with GD*
Lorna Foley

On n'imagine pas à quel point Adrian Dickson Carr nous a fait du mal à Galwin et à moi. La façon dont les gens nous regardaient à cause de lui. Comme des pervers. Comme des déviants.

Les gens n'ont jamais réussi à savoir où s'arrêtait Donnell et où commençait Carr. Ils supposaient que le second n'était que le jumeau de papier de son auteur. Ils se disaient que Galwin n'aurait jamais choisi d'écrire sur l'addiction sexuelle si ce n'était pas un problème dont il avait souffert, lui aussi. Et toutes les choses dégueulasses que A. D. Carr fait dans les romans, ils se disaient que Galwin, lui, les avait imaginées et que c'était tout aussi sordide. Ils ne lui faisaient cadeau de rien.

Alors pour moi, être pendue à son bras lors des soirées où les gens ricanaient en nous observant, ça n'a jamais été facile. Parce qu'à la manière dont ils me lorgnaient, je savais qu'ils s'imaginaient que Galwin et moi étions des échangistes, des sadomasos, des clients de putes, des détourneurs de mineurs ou je ne sais quelle saloperie tirée de ces livres de Galwin. C'est drôle, ou triste,

quand on y pense, que les gens qui m'aient repro-
ché de trop boire, ou d'avoir entraîné mon mari
dans la drogue, soient les mêmes que ceux dont
les regards sales rendaient *nécessaires* l'alcool et
la cocaïne à chacune de nos sorties. Parce que
l'alcool et la cocaïne étaient les seules choses qui
nous permettaient d'oublier un instant ces
regards.

[...]

Personne n'aurait pensé que Galwin était doux.
Personne ne voulait le croire. Je trouve ça insul-
tant, maintenant qu'il est mort, que les gens gar-
dent de lui de fausses impressions : celle d'un
pervers, qui ne vient pas de lui mais de l'un de
ses personnages, et celle d'un misanthrope exilé
sur une île, une image qui selon moi ne le repré-
sente pas. C'est la dépression qui le maintenait
sur Mirhalay. Ce type barbu devant sa chapelle
qu'un journaliste allait prendre en photo tous les
ans au risque de se faire insulter, ce n'était pas
Galwin Donnell. C'était le mal rampant d'une
dépression que personne ne soignait.

Alors, pour sa mémoire, laissez-moi vous dire
la vérité : Galwin était très doux. Il n'aurait
jamais manqué de respect à une femme. Ni même
au corps nu d'une femme. Ses gestes étaient toujours pleins de révérence et – une chose qui m'a
marquée, une chose que je n'ai jamais retrouvée
chez un homme – il me regardait toujours
m'endormir après l'amour. Parce que je lui avais
dit une fois que c'était un moment où je me sentais fragile. Et il ne voulait pas me laisser seule.

[...]

Contrairement à ce qu'ont dit les mauvaises
langues, il était agréable de vivre avec Galwin
Donnell. Et je ne suis pas partie parce que j'étais

176

trop bête, trop vulgaire ou trop arriviste pour supporter le « fardeau de son génie » comme le croient ses admirateurs. Je suis partie à cause de vous, admirateurs, qui avez toujours été incapables de faire la part des choses entre mon mari et son œuvre et qui avez toujours poussé l'œuvre à dévorer mon mari.

Mon mari qui était charmant.

Brûlure

« La femme avait encore accouché près du local à poubelles. Indéfinissable odeur. Il pensa à mettre un mot. »

Galwin DONNELL,
Le Pont des anguilles.

Quand Franck se réveilla, le soleil s'était couché et la chambre était plongée dans la pénombre. Il prit quelques secondes pour se rappeler où il était. L'école, l'île, les Journées d'études. En même temps que les informations purement factuelles, lui revint la honte d'avoir manqué la communication d'Émilie. Comme toujours lorsqu'il avait bu, la honte arrivait accompagnée d'un mal de tête à l'intensité progressive (plus Franck se réveillait et plus la douleur se faisait sentir) et les deux paraissaient si inséparables que la migraine n'était pour Franck que la manifestation physique de sa honte.

Il entendit des bruits de pas dans le couloir et la porte s'ouvrit dans un grincement. Émilie entra, alluma la lumière sans ménagement et se dirigea vers son bureau où elle déposa une pile de papiers qu'elle commença à trier.

— Je suis désolé, dit Franck.

Sa voix pâteuse était un rappel flagrant de son état.

— Fini de cuver ? demanda froidement Émilie.

Il aurait voulu lui décrire la magie que l'île et ses habitants exerçaient sur lui, effaçant peu à peu sa volonté propre. Lui dire qu'il avait passé un long moment avec les fantômes de Mirhalay. Lui parler du *besoin* que Jock avait de lui. Mais il ne voyait pas comment expliquer le sentiment qui lui avait serré le cœur tout l'après-midi et qu'elle mettrait probablement sur le compte de l'ivresse.

— Je suis désolé, répéta-t-il, je ne sais pas ce qui...

Émilie l'interrompit :

— Est-ce que ce sera toujours comme ça ? Est-ce que chaque fois que tu feras des efforts pour moi, tu me les feras payer ensuite ? Est-ce que tu me rappelleras toujours que tu te fous complètement de ce que je fais ?

— Ce n'est pas vrai, tenta de protester Franck.

— Bien sûr que si ! Tu te venges toujours. Je ne sais pas de quoi. Dès que nous sommes heureux, tu dois te dire que je ne le mérite pas. Et tu m'attaques. Ça te tient au corps, secrètement, ce besoin de me faire payer. Mais qu'est-ce que je t'ai fait ? Qu'est-ce que j'ai bien pu te faire ?

Franck murmura quelque chose à propos de l'attente permanente dans laquelle il avait vécu pendant huit ans.

— Tu crois que tu es le seul à attendre ? demanda Émilie. C'est juste que tu ne me vois pas. Mais qu'est-ce que tu crois que je fais quand tu travailles de nuit ? Toutes les fois où je me réveille seule et je me mets à te chercher, comme si tu pouvais avoir disparu sous les couvertures, ou être tombé entre le mur et le lit, je te cherche dans des interstices de vingt centimètres, les fois où je me lève d'un bond et je crie ton nom dans l'appartement vide comme si c'était une scène de kidnapping dans un film américain, avant de me rappeler que non, bien sûr, c'est *normal* que tu ne sois pas là, toutes les nuits où je rallume mon téléphone pour regarder l'heure et évaluer le temps qui reste avant que tu rentres et c'est toujours, toujours trop long. Mais ça, ça ne compte pas, pas vrai ? Il n'y a que quand *toi*, tu attends que c'est valable !

Elle continuait à classer et déclasser les feuilles qu'elle avait à la main et qui tremblaient dans un crépitement de papier froissé. Il l'écoutait d'une oreille en se demandant si elle pouvait avoir raison. S'il s'était construit pour lui seul ce mythe des huit ans d'attente (peut-être), s'il avait joué à être abandonné (parfois). Mais il y avait Cambridge, il y avait ce poste en Angleterre qu'elle avait accepté. Cambridge, sûrement, effaçait les torts qu'il avait pu avoir. Cambridge prouvait qu'il était le *sacrifié*. Il voulut répondre.

— Et cette histoire d'enfant, cria presque Émilie dès qu'il ouvrit la bouche, qu'est-ce qui t'a pris tout à coup ? Tu m'as jeté une proposition à la figure, sans aucun respect pour ce que je voulais faire de ma vie, sans te demander si c'était le bon moment pour moi. Je suis très *très* heureuse que ta vie professionnelle soit parfaite, que tu puisses désormais passer à d'autres questions. Mais si ce n'est pas mon cas, qu'est-ce que je fais ? Je refuse et voilà, ça fait de moi la méchante, la mauvaise, non, pire : la femme qui ne veut pas d'enfant, une sorte d'aberration de la nature. Alors que c'est toi l'égoïste. Tu n'avais pas le droit de me poser cette question maintenant. Tu es un putain d'égoïste ! Tu es tellement égoïste que tu en deviens aveugle, et tu sais quoi ? C'est très bien pour toi, parce que si tu étais lucide je crois que tu te détesterais pour la pression que tu mets sur moi, Franck.

Le fait qu'elle conclue la tirade par son prénom, en le détachant soigneusement du reste de la phrase, prouvait qu'elle était vraiment en colère. Elle savait que c'était son point faible et elle ne l'utilisait que lorsqu'elle était blessée et se sentait le droit de faire mal en retour. Franck ne put rien répondre. Sa tête était un marécage dans lequel se dissolvaient de vieilles certitudes.

Ils descendirent dîner, fâchés et mornes. Les disputes qui, au début de leur relation, avaient été des jeux étaient devenues épuisantes après quelques années. Avoir à hausser le ton, même brièvement, suffisait désormais à drainer toute énergie hors de leurs corps. Ils prirent place à la table commune et mangèrent sans rien voir, sans s'entendre parler. Ils participaient mécaniquement aux conversations, souriaient comme si on eût tiré sur des fils en haut de leurs joues.

Stafford racontait la cérémonie funéraire qui avait eu lieu pour Donnell, des obsèques sans corps célébrées en octobre 1985, une fois que les recherches, et conséquemment l'espoir, eurent été abandonnés.

— Il y avait toute la *gentry* littéraire, disait-il, des dizaines d'héritiers autoproclamés de Donnell. Tout le monde a lu un passage de son roman préféré. Et il y avait un violoncelliste. C'était très beau. Tu te souviens, Patricia ?

Quelques chaises plus loin, la vieille éditrice hocha la tête avec émotion. Elle avait beaucoup pleuré lors de la cérémonie. Comme une veuve, avaient dit les mauvaises langues, mais ce n'était qu'un ragot déplacé. Si Patricia Blacksmith s'était montrée si triste ce jour-là, c'est qu'elle repensait à ce rendez-vous dans un salon de thé près de Charing Cross au cours duquel elle avait refusé le premier manuscrit de Donnell – une faute qu'elle ne s'était jamais pardonnée. Les quarante années qui s'étaient écoulées depuis lui semblaient être un long chemin parcouru avec entêtement dans la mauvaise direction. *Oh, pouvoir revenir en arrière*, avait pensé Patricia Blacksmith au milieu des larmes et des couronnes de fleurs d'octobre 1985. Elle le pensait à nouveau dans le réfectoire de l'ancienne école.

— Je voudrais bien savoir quelque chose, dit un des étudiants d'Édimbourg qui suivait la conversation avec intérêt. S'ils n'ont jamais retrouvé le corps, alors pourquoi tout le monde a-t-il accepté la théorie de la noyade, qu'elle soit accidentelle ou volontaire ? Je veux dire, comment sait-on que Donnell n'est pas simplement parti ? Il a pu quitter l'île et...

Martin Stafford balaya cette théorie du revers de la main, un sourire ironique aux lèvres.

— Et quoi ? S'installer quelque part à Honolulu avec le King et Michael Jackson ?

L'étudiant se renfrogna. À l'autre bout de la table, Markus Mann, le criminologue allemand, se mêla à la discussion :

— Si je me souviens bien, expliqua-t-il avec douceur, l'idée d'un départ volontaire a été abandonnée pour plusieurs raisons : tout d'abord, aucun bateau ne manquait sur l'île, ensuite les affaires de Donnell n'avaient pas bougé elles non plus, enfin la police a retrouvé sa veste, son briquet et les cendres de son cigare au bord de la falaise Sud, dangereusement près du bord.

L'étudiant voulut insister. Il était mécontent d'avoir été rembarré en public :

— Mais est-ce que ce n'est pas dommage que la police ait été aussi prompte à apporter une solution rationnelle au dernier mystère laissé par Donnell ? S'il y avait bien un homme capable de semer de faux indices, c'était lui.

Il y eut quelques rires autour de la table. Ceux qui étaient assez âgés pour se souvenir des discussions qui avaient suivi la disparition de l'auteur regardaient l'étudiant avec une tendresse moqueuse.

— Si vous saviez, dit Stafford, combien de personnes ont prétendu l'avoir vu en vie à la fin des années 80, et combien de théories délirantes sur la manière dont il avait disparu de Mirhalay ont été échafaudées, vous comprendriez pourquoi nous sommes peu enclins à vous suivre.

Philipp Anderson, hilare, commença à lister : l'hélicoptère ou le parapente jusqu'au bateau qui attendait plus loin, le sous-marin russe, les extra-terrestres, le passage souterrain... Judith Maroon rappela que Lorna avait même dû apporter un démenti parce que certaines rumeurs disaient qu'il était finalement parti la rejoindre. Un texte *assez* touchant, reconnut-elle.

— Les gens devenaient fous, dit un des professeurs italiens.

Solange Théveneau murmura quelque chose à propos des femmes qui s'étaient suicidées pour suivre Valentino. Alec MacMillan avoua avoir lui-même caressé un temps cette idée après le décès de Kurt Cobain. Stafford parla d'un de ses camarades d'université que la mort de Donnell avait plongé dans un état dépressif clinique et qui ne dormait plus. Ce camarade, disait Stafford, était profondément affecté par les témoignages de ceux qui prétendaient que Donnell leur apparaissait en rêve. Des gens divers et variés, d'autres étudiants comme eux à l'époque et qui racontaient cela sur le campus de l'université, mais aussi des parents de Donnell qui profitaient au maximum de l'attention en allant vendre aux journaux des récits de rêves absurdes, faits de violons et de lumières douces. Et ce camarade de Stafford – il s'appelait David, précisa-t-il, et était par ailleurs un garçon brillant – croyait ces témoignages et ne comprenait pas pourquoi Donnell ne lui apparaissait pas à lui, alors qu'il avait lu tous ses ouvrages avec ferveur (plusieurs fois, comme l'attestaient les marges annotées et les coins de pages cornés) et qu'il *méritait* que l'auteur lui fasse, à lui aussi, ses adieux. Il avait fini par se persuader que ses insomnies, outre qu'elles le transformaient en épave nerveuse, barraient la route au spectre de Donnell qui n'attendait qu'un endormissement de sa part pour se manifester.

— Une nuit, conclut Stafford, on l'a conduit à l'hôpital après une overdose de somnifères.

Il y eut des rires incrédules. Judith Maroon voulait faire avouer à Stafford que l'histoire était fausse. Mais il souriait d'un air mystérieux et n'en démordait pas, non, non, pauvre David, tout est vrai. Anton Likiewicz hocha la tête avec commisération puis se lança dans une histoire similaire – bien qu'on ne sût jamais ce qu'elle avait de similaire car elle commençait dans un village de Pologne (un village charmant, assurait le professeur) et avant de pouvoir développer son propos, pris par la fougue du récit, Likiewicz posa sans s'en rendre compte l'avant-bras sur une des petites bougies chauffe-plats qui servaient de décoration. L'odeur de brûlé lui parvint avant la douleur et il regarda, ébahi, la flamme qui lui léchait la peau. Lorsqu'il eut enfin la présence d'esprit de retirer son bras, la bougie avait laissé une marque blanche et rouge de quelques centimètres. Il lâcha une flopée de jurons en polonais.

Franck sortit immédiatement de sa torpeur.

— Venez, professeur, dit-il, il faut vous passer le bras sous l'eau froide tout de suite. Ça coupera le feu.

— Je vais bien, protesta Likiewicz.

Mais Franck savait reconnaître une brûlure au second degré et il ne pouvait rêver d'une meilleure occasion d'écourter son dîner. Il entraîna Likiewicz dans la cuisine et ouvrit le robinet.

— Mettez le bras dessous pendant quelques minutes, dit-il, sinon ça va continuer de brûler à l'intérieur.

— C'est fascinant, répondit le professeur polonais.

— Et n'augmentez pas le débit de l'eau, conseilla Franck, ça pourrait endommager davantage l'épiderme. Laissez couler patiemment.

Likiewicz obéit et garda le bras sous le filet d'eau sans bouger. En face de lui, Franck le surveillait, l'air sévère. Il se rendait compte que lorsqu'une personne devenait pour lui un patient, il n'était plus mal à l'aise. Les hiérarchies sociales ou intellectuelles qui pouvaient le gêner dans les rapports quotidiens disparaissaient totalement. Il pensa alors qu'il aurait bien voulu que Stafford se fasse mal – fracture ouverte du tibia ou quelque chose de sérieux.

— Dites, puisqu'on est coincés là, commença Anton Likiewicz, ça vous ennuierait de m'allumer une cigarette ? Le paquet et le briquet sont dans ma poche et moi je suis devenu manchot par la faute de vos prescriptions.

Sa voix était grave et chaude, et quand il parlait anglais, son accent roulait et pliait les consonnes dans des directions inattendues. Likiewicz aurait fait un excellent acteur de second rôle dans des films sur la Guerre froide. Il y aurait joué un gentil, pensa Franck, un pilote instructeur polonais qui aidait le héros à échapper au KGB par exemple. Il lui glissa une Ronson entre les lèvres.

— Ça ne va pas fort avec votre femme, on dirait, attaqua le professeur après avoir tiré une première bouffée avec une grimace de soulagement.

Franck soupira. Les cendres de la cigarette tombèrent sur le sol et Anton les regarda atteindre le carrelage blanc sans réagir. Puis il releva les yeux vers Franck.

— L'amour, c'est très compliqué quand on est jeune, dit-il, parce qu'on est encore plein de croyances et d'idéaux. On gâche beaucoup de relations comme ça. En voulant plus. S'il y a une chose que les années m'ont apprise – et mon premier mariage aussi –, c'est qu'on ne comprend jamais la personne avec qui l'on est.

— Vous croyez ? demanda Franck.

Anton hocha la tête.

— Ne faire plus qu'un avec l'autre, c'est un mythe. L'amour, ce n'est pas la fusion, la dissolution d'une âme dans une autre ou je ne sais quoi. C'est simplement un moyen de tromper nos solitudes. On demande à quelqu'un d'être le témoin de notre vie et on accepte en échange d'être le témoin de la sienne. C'est comme les enfants qui font de la balançoise...

— Balançoire, corrigea Franck.

— Oui, et qui appellent la maman pour regarder. La balançoire, c'est toujours plus drôle quand quelqu'un voit à quel point on monte haut. Peut-être même que ce n'est drôle *que* si quelqu'un nous regarde nous amuser. La vie, c'est pareil.

— Alors pourquoi avoir besoin d'une relation amoureuse ? demanda Franck, il me semble que vous pourriez demander la même chose à un ami.

Anton eut un petit rire et s'étrangla avec la fumée de sa cigarette.

— Et je ferais l'amour avec qui ? Il faut être pratique, mon garçon : autant faire d'une pierre deux coups.

Franck se demanda s'il était sérieux.

— Vous voulez dire qu'il faut passer toute notre vie *à côté* de quelqu'un et pas vraiment avec lui ?

— Je veux dire que c'est déjà le cas. Il faut simplement l'accepter. Plus la relation est belle, malheureusement, et plus il est difficile de renoncer au mythe de la fusion amoureuse. Anna et moi, par exemple, nous avons des tas de raisons évidentes pour expliquer le fossé entre nous. Les gens se disent : c'est à cause de la différence d'âge. Ou : c'est parce qu'il ne l'aime que pour son physique. Et nos solitudes s'excusent. Lorsqu'on est avec la personne parfaite, on est inexcusable et pourtant le fossé est là quand même. Il arrive toujours un moment où l'on se couche près de la femme que l'on aime et où l'on réalise qu'elle est, malgré tout, une étrangère.

— Vous pouvez couper l'eau, dit Franck.

Le professeur jeta le mégot de sa cigarette dans l'évier puis remit la manche de sa chemise en place.

— Vous croyez que je vais avoir une cloque ?

— C'est sûr, répondit Franck. Il faut simplement l'accepter.

Anton lui sourit avec malice. Mais derrière l'éclat joyeux de ses yeux, tout au fond, au centre de la pupille, il y avait la sollicitude inquiète de celui qui vient de vous annoncer que vous vivrez et que vous mourrez seul quoi que vous puissiez penser, et il y avait aussi un peu de fatigue. Rien de cela ne transparaissait à la surface mais, un bref instant, Anton ne parut pas assez fort – ou peut-être trop distrait – pour tenir le masque social et Franck l'aperçut, au plus noir de la prunelle : comme un animal assis qui le fixait en penchant la tête.

Ils retournèrent au réfectoire juste à temps pour entendre Arthur Revan dire à Stafford d'un air goguenard :

— Les gens s'imaginent que la carrière universitaire est sérieuse, qu'elle a des bases intellectuelles solides, que l'on n'y vend pas du glamour. Qu'elle est, si vous voulez, aux antipodes d'une carrière d'actrice à Hollywood par exemple. Mais c'est faux. Il s'agit exactement de la même chose. Il s'agit de produire des théories qui font bander les gens. Et le jour où vous n'arriverez plus à faire bander les gens, vous serez finis. Voilà.

Une nuée de protestations s'envola du reste de la table. Mais Stafford, pensif, se contentait de se balancer d'avant en arrière sur sa chaise en fixant son interlocuteur.

Franck chercha Émilie des yeux. Son siège était vide.

Un mince filet de sang

« C'était mieux avant. »
Anonyme.

Le père de Franck répétait souvent cette phrase. C'était mieux avant. Et Franck, qui était enfant – son père était mort d'un cancer de la gorge quand il avait dix ans –, souffrait chaque fois de l'entendre parce qu'il avait l'impression que son père les désavouait, lui et la seule société qu'il connaîtrait jamais, celle de *maintenant*, souffrait parce qu'il pensait aussi que c'était un peu de sa faute si le maintenant avait moins de valeur que l'avant, que c'était parce que lui, Franck, n'était pas assez fort, ou pas assez bien. Lutter contre le défaitisme de son père avait occupé une grande partie de son enfance. Plus tard, il lui en avait voulu, il l'aurait peut-être même haï si son père n'avait pas été déjà mort (la mort, par convention, confère aux disparus une certaine dignité qui empêche qu'on les haïsse).

Il avait un jour demandé à sa mère ce qui avait tant obsédé son père dans l'avant, ce qu'il y avait de mieux.

— Lui, avait dit la mère, c'était lui qui était mieux avant. Parce qu'il était jeune. Mais ça, il n'a jamais voulu s'en rendre compte.

Elle lui avait caressé la joue avec un sourire désolé et Franck s'était juré ce jour-là de vieillir sereinement, de ne pas s'agripper à l'avant comme aux vestiges d'une épave laissés sur la mer écumeuse. Pourtant, depuis la dispute avec Émilie, il se surprenait à penser avec une soudaine tendresse à la petite phrase de son père. C'était mieux avant. Oui.

Tout ce qu'il aimait en Émilie semblait figé sous le manteau gelé de sa colère : son rire, la vivacité de ses propos, le silence qu'imposaient ses yeux, la douce inclinaison de son cou, les débordements de son imagination. Franck regardait Émilie comme on regarde un paysage immobilisé par l'hiver à travers une vitre. Tout ce qu'il brusquerait, forcerait, dans une tentative désespérée pour le réanimer se briserait comme du verre.

Il aurait dû souffler sur elle avec une patience infinie jusqu'à ce qu'elle se réchauffe. Mais lorsqu'il essayait de trouver en lui les ressources infinies de la patience, il se heurtait à quelques mots coupants jetés entre elle et lui de manière à éviter toute conversation (« J'y vais », « à plus tard », « c'est l'heure »). Parfois, elle avait un faible sourire et il reprenait espoir mais le sourire ne durait jamais longtemps, Émilie se ressaisissait et l'*effaçait* de son visage – ce n'était pas tant qu'elle arrêtait de sourire, c'était réellement un processus d'effacement qui niait que le sourire eût jamais été là et qui défendait à Franck de l'y avoir vu.

Il baissait les bras devant son hostilité et ses sourires disparus et sortait retrouver Jock. Il savait qu'il ne découlerait de leurs rendez-vous que plus de beuveries et de discours incohérents (Jock parlait trop, parlait sans arrêt, se prenait les pieds dans la parole, il donnait l'impression d'un homme qui s'arracherait la peau en tentant d'ôter sa veste et se retrouverait plus nu que la nudité en public), mais il ne pouvait s'empêcher de les accepter. Il avait au moins l'impression d'être *choisi* par Jock contre tous les universitaires, choisi et apprécié. Et Franck le trouvait fascinant. Il voyait en lui les traits de son propre double amer, haineux et fou, une possibilité de ce qu'il aurait pu devenir s'il avait évolué dans un milieu où la rencontre et le rapport à l'autre n'avaient jamais existé, un être privé d'histoire qui n'avait eu qu'un lieu pour se développer, un homme-île. Ce spectacle l'attirait et le dégoûtait à parts égales – c'est-à-dire qu'il l'attirait d'abord jusqu'à Jock puis, une fois en sa présence, se transformait lentement en dégoût jusqu'à ce que Franck ait parfois envie de hurler ou de lui faire mal pour qu'il arrête de s'étaler de cette manière si déplaisante. Finalement, alors que la violence semblait la seule issue possible, la pitié revenait toujours, presque comme une surprise.

Alors qu'Émilie écoutait les communications de la cinquième Journée d'études, Franck était à nouveau en train d'arpenter Mirhalay en compagnie du gardien.

Le vent était tombé et le ciel et la mer semblaient se dérouler à l'infini autour d'eux, d'une clarté blanche presque aveuglante. Ils marchaient côte à côte, les mains dans les poches, le corps étiré pour mieux profiter de la chaleur du soleil.

Jock avait voulu montrer à Franck la bouche des cavernes au pied de la falaise Sud, là où un cargo britannique s'était échoué pendant la Seconde Guerre mondiale avant de couler à pic dans les grottes. Il ne restait aucune trace du bateau, rien que les vagues et les rochers, mais selon le gardien c'était ce rien, justement, qu'il fallait contempler, ce potentiel qu'avait la mer à se refermer sur son histoire, à paraître toujours neuve malgré ses millénaires d'accidents et de traumatismes. La beauté d'un corps totalement dépourvu de cicatrices.

De là, ils basculèrent naturellement dans une conversation sur leurs propres cicatrices – celles de Jock infligées pour la plupart par des arêtes rocheuses et des cordages, celles de Franck héritées de chutes à vélo.

— Des brûlures de cigarettes aussi, avoua-t-il après un temps.

Et il montra les cercles blancs un peu creusés sur le dos de sa main et dans le creux de son coude. Quand il avait quinze ans, lors d'un été à Granville, il avait joué avec quelques amis à braver la douleur. Chaque fois qu'il voyait les traces laissées sur sa peau par la braise d'une Camel vingt ans auparavant, il pensait qu'il y avait quelque chose d'absolument ridicule (voire de répugnant) dans le machisme bravache dont il s'était senti obligé de faire preuve à l'adolescence. Et il trouvait qu'apprendre à être un homme avait été une entreprise longue et difficile dont il ne savait toujours pas s'il était venu à bout. Peut-être que tout aurait été plus simple si son père était resté en vie. Sa mère n'avait pas vraiment été préparée à élever un garçon toute seule. Malgré tout son amour pour Franck, il était juste de dire qu'elle avait au mieux tâtonné dans son processus d'éducation.

Émilie avait été celle auprès de qui il avait vraiment eu l'impression de grandir. Émilie lui avait apporté la conscience de sa force dans une sphère épargnée par la lutte. Émilie lui avait appris la tendresse, la mise à profit du temps qui passe et des centaines d'autres choses plus infimes (comme stopper le hoquet en se pressant les lobes de l'oreille). C'était auprès d'elle qu'il était devenu adulte, devenu un homme. Et pourtant, dans leurs moments de dispute, il avait l'impression qu'ils pouvaient oublier tous deux avec une facilité déconcertante ce qu'ils représentaient l'un pour l'autre et se traiter uniquement en ennemis.

Ils remontèrent jusqu'à l'endroit où les falaises entouraient le chenal. Dans son écrin de pierre grise, la petite plage était un havre de paix. La mer y luisait doucement, sans les reflets aveuglants du large. Elle émettait de manière diffuse un sentiment tiédi, l'indifférence du monde à l'égard des voyageurs qui parvenaient jusqu'ici.

Lorsque Franck vit l'animal mourant, il crut tout d'abord à un rocher, anthracite et ventru, qui aurait émergé subitement de la plage. Ce n'est qu'après quelques secondes qu'il fut capable de distinguer une tête allongée et des nageoires comme une paire de gants abandonnés sur le corps de la bête. Le phoque était échoué haut, presque contre la falaise. Sa peau grise s'émiettait en squames ternes, frottées jusqu'à l'abrasion par le sable. Les vibrisses pendaient mollement, comme de fausses moustaches en fil de laine sur

195

un masque de carnaval. Ses yeux – les mêmes grands yeux humains que Franck avait remarqués lors de la baignade avec Émilie – n'étaient qu'à demi-ouverts. Ils laissaient passer un rai de regard, vitreux et figé. Franck se laissa tomber à genoux pour observer l'animal de plus près. Il guettait les mouvements de sa poitrine, espérant y trouver la preuve d'une respiration.

— Ils font ça pour échapper à la houle, expliqua Jock. Quand c'est trop difficile pour eux de lutter contre les courants, ils préfèrent se jeter sur la plage. Ensuite, ils n'arrivent plus à repartir.

— Il faut le remettre à l'eau, dit Franck, paniqué, il est en train de mourir.

Jock contourna l'animal et enfonça la pointe de sa chaussure dans le corps mou. Il n'y eut aucune réaction.

— Je crois qu'il a son compte, répondit-il, c'est trop tard.

— Qu'est-ce qu'on peut faire ? gémit Franck.

Jock continuait à donner de petits coups de pied à l'animal immobile. Dans la mince ouverture de l'œil, la pupille se rétracta. Franck ordonna sèchement au gardien d'arrêter.

— Il est encore en vie.

— Il faudrait l'achever, dit Jock.

Il leva immédiatement le pied au-dessus de la tête du phoque et Franck cria. Un cri aigu, insupportable. Le gardien s'arrêta.

— Vous êtes trop sensible.

Le cœur de Franck battait à toute vitesse. Dans sa tête, l'image du phoque gris aux yeux d'ombre se superposait à celle du jeune braqueur qui venait de mourir et à celle, plus lointaine et plus effrayante, de son père sur son lit d'hôpital, portant le masque du cancer. Franck avait quelque

196

chose contre la mort, pas simplement la perspective de la sienne ou le spectacle de celle des autres en tant qu'il l'aurait renvoyé à sa propre mortalité, mais la mort en général. Pour un infirmier, c'était déraisonnable. Dans le milieu de la médecine, il était plutôt courant de l'aimer, objectivement, comme un ennemi grand et noble, un ennemi que l'on respectait. Franck suspectait qu'il y avait une part de mégalomanie là-dedans : ses collègues aimaient surtout se sentir à la hauteur de la tâche, ils se pensaient de taille à affronter la mort et n'auraient pas voulu d'un adversaire moins important. Il se souvenait de ce chirurgien récemment arrivé de province et qui lui avait confié pendant une pause cigarette que, selon lui, le petit hôpital où il travaillait jusque-là était le meilleur établissement du pays. Le matériel et les bâtiments étaient affreusement vétustes mais la *situation* était parfaite : l'hôpital jouxtait un carrefour particulièrement dangereux entre deux nationales très fréquentées. Il était donc irrigué en permanence par des accidentés de la route, de la chair mélangée au métal, du sang partout, de l'urgence réelle. Dans la plupart des hôpitaux, disait le médecin avec regret, il faut se contenter des vieux auxquels on annonce qu'ils sont malades comme s'il leur *arrivait* quelque chose – alors qu'ils sont simplement vieux. Cet homme représentait l'attitude idéale que le corps médical se devait d'avoir face à la mort : un appétit de combat. Franck, lui, la refusait tout simplement en bloc. Il n'avait jamais été capable de l'envisager comme un ennemi qu'il pouvait défaire ni comme un processus naturel. Elle était toujours une sentence *qui aurait dû ne pas tomber.*

Il se leva et entreprit de tirer le phoque par la queue jusqu'à l'eau. La bête était trop lourde et d'être ainsi traînée sur le sable attaquait davantage sa fourrure fatiguée.

— Laissez-moi faire, dit calmement Jock, vous allez le noyer, c'est tout. Il est trop mal en point pour se remettre à nager.

— Non, dit Franck.

Le détachement de Jock le terrifiait. Il entra à reculons dans la mer, tirant péniblement l'animal. L'eau salée enserra ses chevilles, pénétra ses chaussures. Il espérait un miracle au moment où elle toucherait le corps du phoque mais rien ne se passa. Il le fit rouler un peu plus loin. Le phoque était inerte – aucun frémissement.

— Poussez-vous, dit Jock.

Il avait dans la main une grosse pierre ramassée au pied de la falaise. Franck, paralysé, le vit s'approcher de l'animal, incapable de protester. Le gardien était soudain immense, ses gestes inexorables, son visage fermé. Il était l'Ogre des contes pour enfants, le cauchemar juste avant cinq heures du matin. Lorsqu'il abattit la pierre sur la tête du phoque, le craquement des os résonna dans la petite cuvette jusqu'alors si calme. Le craquement résonna aussi à l'intérieur de Franck.

Il regarda le sang qui se mêlait à l'eau du chenal, doucement, sans un bruit, comme si aucune violence ne venait d'avoir lieu. Les yeux noirs étaient encore entrouverts mais l'on n'y distinguait plus rien. Jock lança plus loin dans la mer la pierre avec laquelle il avait achevé le phoque. Il poussa le corps du pied, jusqu'à ce que l'eau soit suffisamment profonde pour l'engloutir. Puis il se frotta les mains sur les cuisses pour en ôter les quelques gouttes de sang qui l'avaient écla-boussé. Sa bouche était déformée par une gri-mace nerveuse. Il tremblait légèrement.

Quand il se tourna vers Franck, celui-ci évita son regard. Il avait trop peur d'y voir de l'excita-tion.

— Désolé, dit le gardien, je vous assure qu'il est mieux comme ça.

Ils reprirent leur marche, sans rien dire. Franck se retournait de temps à autre pour tenter de dis-tinguer dans l'eau du chenal la tache plus sombre de l'animal mort.

Si celui-là avait avalé une âme humaine, alors l'âme devait maintenant retourner à la mer, se mêler au filet de sang qui s'écoulait de la tête fra-cassée et chercher un nouveau corps, là où les vagues la portaient.

Sommeil arraché

Donnell existait auprès d'Émilie comme une excroissance littéraire, ou plutôt comme un membre fantôme que personne ne pouvait voir mais dont elle sentait la présence, les démangeaisons. Lorsqu'elle se couchait près de Franck, elle apportait Donnell dans le lit – « avec eux », pensait-elle, « entre eux », aurait-il dit. Le plus souvent, Donnell se contentait d'être là, ils ne tenaient pas compte de lui et lui ne tenait compte de rien (il n'était après tout que le membre fantôme d'Émilie). Parfois, cependant, il se faisait plus dérangeant.

Comme lorsque l'année précédente, Émilie avait décidé que ses recherches sur les figures féminines devaient *nécessairement* la conduire à un recensement des relations sexuelles présentes dans les dix romans de Donnell, afin qu'elle pût en tirer des motifs signifiants. Elle se couchait la tête pleine de listes et de chairs : levrettes (15), sodomie (18), fellation (22), cunnilingus (½ – interrompu), pourcentage de relations consenties (73). La présence de Donnell dans le lit leur paraissait alors un jugement porté sur leur sexualité. Curieusement, ils avaient rarement autant fait l'amour qu'à cette époque mais Franck avait la désagréable impression qu'ils le faisaient par besoin de se prouver quelque chose. Lui : qu'il pouvait surpasser en virilité toutes les listes des romans. Elle : que sa thèse ne la changeait pas en une femme ennuyeuse au sujet de laquelle Donnell n'aurait jamais écrit. C'était à cette époque qu'ils avaient acheté des cordes de bondage qui traînaient désormais au fond de leur placard à vêtements, avec les chaussettes dépareillées.

Mais la présence de Donnell devenait insupportable surtout lorsque Franck et Émilie se disputaient. Elle grandissait d'un coup. L'esprit de l'auteur qu'Émilie ne pouvait s'empêcher de convoquer – par sa dévotion constante, son intérêt infaillible – s'étendait dans chaque fissure ouverte par leurs désaccords jusqu'à ce que Franck ait l'impression que sa présence énorme le chassait du lit.

Ces nuits-là, il rêvait encore et encore qu'il tombait d'un gratte-ciel dans une grande ville inconnue qui n'était pas tout à fait New York, pas tout à fait Londres ni Édimbourg. Chaque fois qu'il se réveillait en sursaut, pris d'une rage incontrôlable, il avait envie de tuer le mort. Mais ce n'était pas assez. Ou plutôt ce n'était pas de son ressort : c'était à Émilie qu'il revenait de renvoyer Donnell à l'Oubli. C'était *son* exorcisme. Elle ne le faisait pas, ne voulait pas le faire.

Sur Mirhalay, comme lors de chacune de leurs disputes, Franck connut une série de réveils brusques, la sueur au front et une colère sourde au ventre. Il aurait voulu réveiller Émilie, la secouer brutalement, qu'elle panique au sortir du sommeil, qu'elle paie pour les cauchemars qui

l'empêchaient, lui, de dormir, l'arracher au sommeil, la secouer comme on arrache, mais surtout
lui crier dès qu'elle aurait ouvert les yeux, dans
la même seconde, qu'il en avait assez de cette
cohabitation stupide qui le maintenait éveillé,
qu'il fallait qu'elle choisisse, là, maintenant (ce
mot, il le hurlait intérieurement – MAINTE-
NANT) : c'était Donnell *ou* lui, et bien sûr il voulait dire par là que c'était lui sans Donnell, que
c'était lui à la place de Donnell, que c'était lui,
tout simplement, partout, tout le temps, et il voulait hurler aussi qu'il était insupportable que parfois il ressente – en tombant d'un gratte-ciel
imaginaire au milieu de la nuit – que ça aurait
pu ne pas être lui, que si elle était réellement mise
face à l'obligation de choisir, Émilie pourrait
décider que ça ne soit pas lui.

Lumières tournantes

« J'ai eu la chance de le rencontrer très
jeune. De connaître celui qu'il était
vraiment. Pas celui que la guerre et le
succès du détective Carr ont bousillé.
— Vous placez la Seconde Guerre
mondiale et Adrian Dickson Carr sur
le même plan ?
— Ce sont deux catastrophes équiva-
lentes dans la vie de Galwin. »
Extrait de l'interview d'Edward Evans
pour *The Herald*, octobre 1986.

Le 22 septembre était une sorte d'anniversaire,
celui de la parution des *Lèvres pâles*. À cette occasion, et comme leur fin approchait, les Journées
d'études internationales offraient à leurs participants une soirée de fête. C'était un rituel
immuable. Cette année-là, l'ouvrage célébrait ses
quarante ans.

En quittant sa chambre, Franck croisa Jock qui
accrochait une boule à facettes et des spots de
couleurs dans le réfectoire.

— C'est affreux, dit-il en désignant les décora-
tions.

— Je sais, répondit Jock, c'est tout ce que ces connards méritent.

Ils ne s'étaient pas revus depuis deux jours. Ils échangèrent quelques platitudes puis Franck, mal à l'aise, le laissa dans la grande salle et partit rejoindre Émilie qui annonçait le début des conférences. Son regard froid lui rappelait le phoque échoué sur la plage. Quelque chose de piégé et de mort. Il écouta les communications de la journée sans les comprendre.

Après la dernière intervention, au lieu de se regrouper pour dîner ou de retourner sagement à leur chambre, les invités se dispersèrent dans toute l'école, verre à la main, à la recherche des différents plateaux de petits-fours. Seul Franck n'y touchait pas : il pensait que Jock pouvait avoir craché dedans.

La fête ressemblait à n'importe quelle soirée dans l'ancienne école, sauf que l'on s'y tenait debout, que l'on buvait de l'alcool fort et que la nourriture était éparpillée et se mangeait avec les doigts. Peut-être qu'une fête n'était rien de plus : une forme imposée qui différait très peu de l'ordinaire mais dans laquelle chacun acceptait de reconnaître les signes de la réjouissance sans vraiment l'éprouver. Les universitaires continuaient à parler de sujets difficiles en grignotant. Au coin des bouches, les miettes des friands à la saucisse se mêlaient aux citations.

— Et vous ne croyez pas à la théorie de Grainier selon laquelle il aurait cessé de parler à Evans parce que celui-ci voyait encore Lorna ?

— Pas du tout, je la trouve mesquine.

Franck essaya plusieurs fois de se tenir près d'Émilie et de lui sourire mais aucune conversation ne naquit de ces efforts. Elle s'échappait toujours, comme si elle n'avait pas remarqué sa présence.

— Grainier est, de toute manière, un être mesquin.

Vers 22 heures, les tremblements de la musique dans les enceintes installées par Jock se répercutèrent à travers l'école. Imperturbables, les parleurs haussèrent simplement la voix.

— Il a mis fin à son amitié avec Evans quand il a compris que le monde de ce dernier tournait désormais autour de ses deux enfants, ce qui, pour Donnell, ne pouvait que signifier un asservissement aux pulsions vitales les plus basses.

Franck, lassé d'errer derrière Émilie comme un bateau sans ancre, gagna le réfectoire pour voir ce qui s'y passait. Le fait qu'Alec MacMillan, le poète local, se tienne derrière les platines lui fit un instant espérer que la sélection musicale serait originale. Il imaginait de la cornemuse mêlée à des ondes alpha, ou du rap politique des Hébrides. Mais apparemment, même les poètes contemporains aimaient les chansons de leurs années collège et la play-list d'Alec était bête, joyeuse et régressive. Il commença par *Simply the Best* puis passa à *What Is Love ?* (une excellente question, nota Franck, dont la réponse ne pouvait qu'être biaisée – moins une réponse qu'une supplique : *Baby don't hurt me, don't hurt me no more*). Puis il se fixa sur la bande-son de *Dirty Dancing* et n'en changea plus.

Les lumières tournantes transformaient le réfectoire en un lieu hybride, entre le parking sous surveillance et la discothèque. Quelques participants aux Journées dansaient, ceux qui s'entendaient bien avec Alec. Ils se mouvaient sur la piste avec toute la gêne de ceux qui n'habitent pas leur corps. Solange était une exception : elle tenait à montrer qu'elle avait appris à danser dans des villages reculés et animistes où la honte des mouvements n'existait pas. Son front mouillé de sueur brillait d'un contentement enfantin.

Franck reprit sa marche lente d'une pièce à l'autre, au gré des lumières de la soirée qui redessinaient l'île. Il sentait que les verres de Martini qu'il avait bus auraient eu besoin de la compagnie des petits-fours. Il imaginait son ventre comme un de ces sacs en plastique dans lesquels on transporte les poissons rouges à la sortie d'une animalerie – les mêmes mouvements, les mêmes clapotis.

Il avait perdu Émilie. Elle n'était nulle part. C'était évidemment un peu terrifiant, mais inavouable. Il marchait donc lentement, essayant de sentir s'il commençait à tanguer, et il la cherchait. Il aurait bien voulu que Jock soit là, finalement. Ou un ami, n'importe lequel. Mais sur Mirhalay, on ne pouvait appeler personne pour qu'il fasse un saut et vous soutienne un moment. Jock était donc la seule option. Le gardien s'était sûrement retiré dans la chambre sourde plutôt que de se mêler à la fête (« Ils me font gerber avec leurs *Heil Donnell* et compagnie », avait-il dit à Franck). C'était dommage. Ils auraient pu continuer à boire tous les deux comme ils en avaient pris l'habitude et se moquer des autres. Jock aurait dansé avec Solange pendant que lui, Franck, remplaçait MacMillan aux platines. Les anti-héros auraient pu faire un coup ce soir-là.

Mais il était tout seul et devait se contenter de faire descendre son angoisse à grands coups de glotte jusqu'au sac plastique de son ventre et d'adresser de pâles sourires autour de lui. Il trompait son attente en échangeant une nouvelle série de textos avec Leïla.

Il culpabilisait. D'abord parce qu'il dépassait son forfait téléphonique, inadapté à l'international. Ensuite parce qu'il sentait qu'il était à deux doigts du flirt. Il se demandait – parfois, rarement – s'il aurait dû être avec Leïla et pas avec Émilie. Elle faisait peut-être des fautes d'orthographe mais elle était drôle, sincère, droite, chaleureuse, facile à vivre. Elle n'avait pas peur d'être gentille, pas peur d'aimer les gens. Elle n'avait pas non plus peur de rudoyer ceux qui méritaient de l'être. Elle n'était jamais mal à l'aise dans les relations humaines.

Ses cheveux bouclaient autour de sa tête comme des petits animaux groupés là parce qu'il y faisait bon.

Elle ne partirait pas à Cambridge, débauchée par un professeur d'université.

Elle ne disparaissait pas des soirées.

Il y avait beaucoup de raisons d'être avec Leïla.

Il s'arrêta à une table de jardin sur la terrasse en ardoises, entourée de tamaris et de plantes grimpantes dont il ne connaissait pas le nom. Sur les feuilles sombres et les fleurs trop lourdes, les petites étincelles bleutées des vers luisants frémissaient, offrant une beauté incongrue qu'ici personne ne méritait, dans ce monde prétentieux et saoul. Il y avait quelques personnes assises autour de la table. Mais pas Émilie.

— Alors, ça danse à l'intérieur ? demanda Judith Maroon.

Elle avait l'air aussi ivre que Franck. Il eut un sourire poli.

— Alec revit sa jeunesse, je crois.

Elle rit plus qu'il n'était nécessaire. Elle portait de grandes boucles d'oreilles colorées et un trait de crayon vert sur les yeux.

— Est-ce que Martin danse ? demanda l'étudiante de Likiewicz.

Elle paraissait prête à se lever dans la seconde si Franck lui donnait une réponse positive.

— Non, dit-il, il n'est pas à l'intérieur.

En prononçant ces mots, il sentit le sac de son ventre se mettre à tressauter. Martin n'était pas à l'intérieur *non plus*. L'étudiante fit une moue déçue. Judith Maroon se pencha vers lui et commença à parler de musique en lui touchant le bras. Franck détesta cette piètre tentative de séduction. Il avait envie de la rejeter cruellement. De lui rappeler son âge. Sa dignité. Le mépris avec lequel elle le traitait lorsqu'elle était sobre, comme tous les autres.

— Vous ne nous avez rien dit de votre travail, lança Judith dans un mouvement de tête qui fit trembler lentement les pendants d'oreilles bleus et dorés qui encadraient son visage comme des gardiens de tombeau.

— Il est docteur, déclara Patricia Blacksmith, qui avait dîné à côté d'Émilie le premier soir.

— Non ! répondit Franck trop violemment.

Il y eut des sursauts autour de la table.

— Je suis infirmier.

— Ce doit être passionnant, dit Judith bleue et dorée, vous devez voir des scènes passionnantes.

Elle avait le sourire carnassier de la lectrice de Donnell que des milliers de pages avaient habituée à la violence et au sang. Franck aurait voulu lui arracher ce sourire du visage pour le lui montrer ensuite, qu'elle puisse voir ce rictus qui lui montait aux lèvres quand elle pensait aux souffrances des autres.

— Passionnant, renchérit la vieille éditrice.

Ils hochaient la tête, incapables de trouver autre chose à dire, tous convaincus peut-être que Franck vivait dans un merveilleux univers d'adrénaline et de folie. Il sentit que ces gens insultaient son travail, qu'ils y voyaient le contraire de ce qui aurait dû s'y trouver : la mort qui rôdait, à la place de la vie qu'il s'efforçait chaque jour de préserver. Il pensa une nouvelle fois au braqueur qui ne s'était jamais réveillé. Et les larmes disparues partout dans son corps remuèrent sous sa peau.

— Vous devez en voir des belles, répéta quelqu'un autour de la table.

Il ne savait même pas qui. Il ne distinguait plus les visages.

— Un soir où j'étais de service aux urgences, dit-il très lentement en regardant droit devant lui, j'ai reçu une femme à qui il manquait un œil. On voit beaucoup de cas dégueulasses. Une femme avec un trou à la place de l'œil gauche, ce n'est pas extraordinaire. Mais cette femme n'est pas arrivée en hurlant sur une civière poussée à toute allure par des ambulanciers. Elle est venue à pied de chez elle, la main placée sur le trou de son œil. Elle n'a pas appelé le SAMU, pas pris de taxi. Elle a marché jusqu'à l'hôpital dont elle se souvenait. Même pas le plus proche de sa maison. Mais un hôpital connu dont elle savait qu'il était là. Tranquillement, après trente ou quarante minutes de marche, elle arrive aux urgences et elle ôte la main de devant son orbite. Il y avait un tesson dedans, mais pas de globe oculaire. Je l'ai perdu, elle a dit. Et je ne pouvais pas m'empêcher de regarder à l'intérieur. Comme si quelque chose allait en surgir. J'étais sûr que c'était là, au fond, tapi. Je ne savais pas quoi. Probablement une de ces sortes d'anguilles. Ça allait sortir, comme une surprise horrible. Et puis, tout à coup, j'ai eu peur que ça surgisse et j'ai voulu arrêter de regarder, il fallait absolument que je me détourne, mais j'en étais incapable. Leïla a dû me pousser pour que je bouge. Je ne pouvais plus arrêter de regarder cet œil absent.

Lorsqu'il eut fini de parler, Franck sentit qu'il venait de livrer une parabole dont lui-même ne comprenait pas le sens. Il en fut embarrassé. Autour de la table, personne ne répondit. Les lumières explosées de la boule à facettes passaient à intervalles réguliers sur les visages, dessinant des expressions qui n'y étaient pas. Elles se perdaient aussitôt dans la nuit, accrochant parfois un galet noir sur le chemin qui se mettait à rutiler. Elles couraient mourir loin sur l'île. Peut-fêtre qu'elles se nichaient jusque dans le coin sombre où, quelque part, Martin et Émilie avaient disparu. Franck avait envie de pleurer.

Les autres, à la table, recommençaient doucement une conversation, à peine un murmure : *et Baudrillard ?* Franck se leva. Il aurait eu beaucoup à penser de Baudrillard pourtant, il aurait partagé nombre de ses idées sur la violence incontrôlable des sociétés d'abondance à cet instant précis. Mais il ne l'avait jamais lu.

— Attendez, dit Judith en lui attrapant le bras, où est-ce que vous allez comme ça ?

— Je ne sais pas, répondit Franck.

Il se racla la gorge et essaya de dire sans que sa voix tremble :

— Il faut que je retrouve Émilie.

— Pas avant d'avoir dansé avec moi, trancha Judith.

Il dégagea sa manche d'un coup sec, tâchant de mettre tout son dégoût dans ce geste, mais elle continuait à lui sourire avec douceur. Il ne put pas tenir sa résolution. Il n'avait vraiment aucun fond de méchanceté, se résigna-t-il.

Elle l'entraîna sur la piste. Alec agitait lentement en l'air une bouteille de mousseux qui lui gouttait sur le bras sans qu'il parût s'en soucier. Les étudiants de l'université d'Édimbourg dansaient avec fougue, ce qui était probablement la réelle raison de leur invitation aux Journées d'études.

Judith prit la main de Franck et se mit à tourner dès qu'ils furent au centre de la pièce.

— Je suis désolée de vous contraindre, lui glissa-t-elle à l'oreille avec un rire de petite fille, mais je ne danse jamais quand je suis chez moi.

— Ah bon, fit-il.

— Une femme de soixante ans qui danse, c'est grotesque apparemment. Alors je profite des voyages.

Franck lui sourit.

— Même chose pour ça, ajouta Judith en ramenant entre elle et Franck le verre qu'elle n'avait pas lâché depuis la terrasse.

Elle fit cliqueter les glaçons puis le vida d'un coup. Franck pensa qu'en réalité il l'aimait bien. Ils dansèrent en riant pendant plusieurs minutes, jetant leurs bras et leurs jambes dans des sens hasardeux. La sueur leur coulait sur la nuque et peignait de grandes taches d'ombre sur leurs vêtements. Ils savaient qu'ils étaient ridicules – et probablement laids à voir –, mais ils s'en moquaient tous les deux.

Puis Alec exhuma une improbable chanson d'amour, Whitney Houston ou Mariah Carey, Franck ne savait pas trop. Les étudiants sifflèrent. Franck lâcha la main de Judith et fit signe que, cette fois, c'en était trop.

— Oh non non non, dit-elle.

Elle lui passa les bras autour du cou et ils recommencèrent à danser lentement. Ils continuaient à sourire de toutes leurs dents, comme si rien n'avait changé et qu'il se fût encore agi d'un défoulement parfaitement innocent. Mais ils étaient un peu trop près pour en être tout à fait persuadés. Franck sentait le ventre rond de Judith qui se pressait contre le sien et lorsqu'il soufflait, il voyait bouger les petits cheveux dans son cou. Il réalisa qu'il commençait à avoir une érection, voulut reculer, ne trouva aucune marge laissée par les bras de Judith et se mit à paniquer. Il prit un instant l'air faux de ceux qui font semblant de rien – la bouche trop basse, le regard trop léger –, puis il croisa ses yeux et vit qu'elle aussi l'avait senti. Ils étaient séparés par les épaisseurs respectives de leurs vêtements, pourtant, à cet instant précis, Franck eut l'impression que son pénis n'aurait pas pu être plus présent s'il avait été entièrement nu et exposé. Ils étaient tous les deux *en train* de penser à son pénis. Et le simple fait pour Franck d'y penser en utilisant le mot pénis lui donnait l'impression d'être un enfant pris en faute ou un patient de l'hôpital.

Il abandonna précipitamment Judith sur la piste de danse. Il courut presque hors de la pièce. Derrière lui, il entendait son rire de petite fille. Elle s'amusait beaucoup quand elle partait en voyage.

Il ne marchait pas droit. L'angoisse lui gonflait le cœur comme un ballon stupide qui essayait de remonter dans sa poitrine, dérangeant les côtes paire par paire en gagnant des centimètres. Il atteignit, sans s'en rendre compte, la partie Nord de l'île et le chenal. Il était attiré par cet endroit où le sang du phoque s'était mêlé à l'eau. L'endroit, aussi, par lequel il était arrivé, où il avait posé pour la première fois le pied sur Mirhàlay. Il aurait voulu trouver le petit bateau à moteur amarré là à l'attendre, et partir sans réfléchir, les laisser tous derrière lui. Mais en bas, dans le rond de sable et la lagune, il n'y avait ni bruits ni lumière. Il était coincé ici.

Il descendit péniblement le petit escalier. Il glissa sur les arrondis des marches, manquant tomber à plusieurs reprises. Près des barques, il vit la silhouette de Jock. Il pensa avec soulagement que c'était le moment de finir les bouteilles de whisky du gardien. Finir les bouteilles et s'endormir sur une plage venteuse en écoutant les horreurs que pouvait raconter Jock. Se faire mal sans aucune retenue.

Mais quand il arriva au bas des marches qui menaient au chenal, ce n'était pas Jock. C'était Martin Stafford, avec Émilie.

Au moment de la déflagration, le son s'arrête. Vous pouvez demander à tous les traumatisés de guerre. Au moment où le son est le plus fort, il disparaît. Le cerveau devient incapable de traiter toutes les données du monde extérieur. Il en coupe. Franck avait déjà fait cette expérience plusieurs fois. À la mort de son père. Quand une voiture l'avait renversé à vélo. Parfois pendant son service.

Lorsque le son du monde s'arrêta brutalement à la vue de Martin et Émilie, il fut à la fois angoissé et rassuré que l'horreur prenne cette forme familière. Son cerveau lui envoyait le signe qu'il se protégeait de la douleur et il y avait quelque chose d'apaisant dans cette pensée.

C'est dans un second temps seulement qu'il réalisa qu'en plus du son sa vision se modifiait elle aussi. Les choses s'écartaient d'elles-mêmes sous ses yeux, révélant d'affreux fossés entre elles, des béances effrayantes. Le noir qui grandissait, par le centre et par la périphérie, n'était pas celui de la nuit, un noir plein de toutes les choses qu'on ne pouvait y voir, c'était le noir de l'absence en général, le noir du néant, un noir qui – même si la lumière revenait – demeurerait vide. Et à l'intérieur de sa cage thoracique, c'était comme si les organes tombaient en miettes.

Le monde objectif n'existe pas. Nous n'en expérimentons qu'une succession de perceptions personnelles. Et quand le moi est à ce point atteint qu'il ne peut plus percevoir, c'est le monde qui s'écroule. Ce n'est pas une image. Il n'y a pas d'un côté un être au cœur brisé qui se croit incapable de saisir ce qui lui arrive et de l'autre un monde objectif bien réel qui attend son retour au calme pour lui montrer qu'il est toujours là, pour murmurer : « Tu vois, tout va bien. C'est moi, le monde. J'étais à côté de toi tout le temps de ton vertige. » Non. Au moment de la déflagration, c'est le monde entier qui disparaît, faute d'instances capables de le saisir.

Et Franck en faisait l'expérience. Il constatait que le corps d'Émilie mêlé à celui d'un autre était suffisant pour que les choses ne soient plus, qu'il n'y ait plus d'être, que le chaos s'installe. La douleur ne mangeait pas que le son. Elle mangeait aussi les cinq continents, les océans, les zones climatiques, les banquises efflanquées, la faune, la flore et les colonies d'insectes pourtant si bien cachées sous la terre qu'elles auraient dû échapper à la douleur.

Il ne restait plus rien où se tenir debout.

Sur le désir

« Lui, c'était un prophète/un mage sans cohorte/ un fou et un furieux./Il faisait naître un cri/MAIS-QUE-LE-VENT-L'EMPORTE/et puis le vent l'a pris. »

Conrad NOLAN, « Donnell »,
sur l'album *Faux récits
d'après le jour des morts.*

Il ne voulait pas qu'elle s'en aille. Il ne pouvait pas vivre sans elle. Et par moments, il se demandait si c'était de l'amour ou s'il était tout simplement incompétent en ce qui concernait la vie sans Émilie. Comme s'ils avaient toujours été ensemble.

C'était de sa faute : lorsqu'il était tombé amoureux d'elle, il avait tenté d'effacer tous les souvenirs antérieurs à son arrivée. Il ne lui semblait pas correct d'avoir vécu avant elle. Et il y avait si bien réussi que désormais la perspective de leur séparation lui semblait le réduire à néant. Il n'avait pas préexisté à Émilie. Il n'était personne sans elle.

Il avait froid. Il s'était trompé en croyant que l'isolation de la chambre sourde conserverait la chaleur. Il avait froid et il se sentait très seul dans le silence artificiel de la petite maison. Il avait l'impression d'être un adolescent en fugue qui se découvre incapable de se débrouiller et ne rêve plus que de retrouver son lit.

Mais il ne pouvait pas rester dans la même chambre qu'Émilie après que le monde s'était effondré. Il était parti en courant de la plage. Il savait qu'ils l'avaient vu s'enfuir. Elle l'avait même appelé. Il avait continué à courir, sans se retourner.

À présent, il tentait vaillamment de repousser l'image qui lui revenait sans cesse de Stafford embrassant Émilie renversée contre une barque. Ou plutôt, ce n'était pas contre l'image elle-même qu'il luttait – trop partielle et trop floue pour pouvoir lui faire mal –, mais contre sa tentation de *compléter* l'image, d'éclairer les zones d'ombre, de déterminer les emplacements précis des mains, de mettre les doigts en mouvement et même d'ajouter une bande sonore faite de gémissements, de promesses et de soumission, de sorte que le baiser pouvait devenir absolument pornographique si Franck ne se forçait pas à arrêter d'imaginer.

Il se demanda si elle avait profité de son départ pour rejoindre Stafford dans sa chambre ou si les événements leur imposaient à tous deux une sorte de période de deuil pendant laquelle il n'aurait pas été décent de continuer leur relation. Est-ce qu'elle l'avait seulement cherché ? Il se rendit compte qu'il n'arrivait plus à penser à elle comme à une personne familière – cette même femme dont il avait pu dire, après huit ans de relation : *Je la connais par cœur.*

Jock l'avait aidé à installer un matelas dans la chambre sourde. Franck ne portait le rectangle de mousse que du bout des doigts, le laissant régulièrement tomber dans la bruyère. Il n'avait pas cessé de trembler depuis la déflagration. Le tremblement migrait d'une partie de son corps à l'autre mais il ne s'arrêtait pas.

— Il faudrait les noyer, tous les fans de Donnell, avait dit Jock en ahanant au-dessus du matelas.

— Non, avait répondu Franck qui, malgré les tremblements migratoires et les larmes, avait le sens de la mesure.

— Si, avait insisté Jock.

Il avait demandé à Franck s'il voulait qu'il reste avec lui. Il y avait une compassion presque maternelle dans son regard, une douceur étonnante. Franck avait décliné l'offre. Il ne voulait pas qu'on le voie. Il sentait qu'il atteindrait des abysses jamais cartographiées jusque-là.

— Il faudrait..., avait recommencé Jock juste avant de sortir de la chambre sourde.

Mais Franck le poussait doucement dehors, sans vouloir écouter.

— Ils verront, de toute manière ! avait crié le gardien alors que la porte se refermait sur lui. Oui, ils verront bien !

Il y avait dans sa voix une fêlure hystérique qui fit tressaillir Franck. Mais il était trop épuisé et trop malheureux pour penser à Jock.

Prostré sur le matelas, le dos frottant la mousse de la chambre sourde, il se répétait d'une manière maladive que tout ce qui arrivait était normal et que Martin Stafford était un bien meilleur choix pour Émilie que lui-même. Leur étrange ressemblance en était une preuve. Ils avaient finalement suivi les signes que l'univers leur avait envoyés, et lui, Franck, n'y pouvait rien.

— Nous n'étions pas faits pour être ensemble, c'est tout, murmurait-il en se recroquevillant davantage sur lui-même.

Il n'était pas conscient d'être déjà en train de préparer une *histoire* de la rupture qui ne ressemblait en rien à l'événement traumatique qu'il venait de vivre, qui ne le guérissait en rien mais qu'il pourrait raconter aux autres.

— C'est tout...

Franck essayait de redonner au monde tombé en miettes une forme acceptable, une apparence logique. Il voulait penser les choses avec calme. Mais en dépit de tous ses efforts, il était aspiré vers une zone de délire et d'effroi qui refusait toutes les phrases qu'il pouvait former, qui se présentait uniquement par fragments incomplets et contradictoires et dont il n'avait jamais soupçonné la présence au fond de lui.

La tristesse montait à l'escalade de ses pensées, n'en épargnait aucune. Or, il n'était pas fait pour la tristesse. Il le savait, il le sentait. Il n'était pas de ceux que la souffrance grandit ou magnifie. Il était de ceux qui l'ignorent autant que possible. Il s'y était efforcé toute sa vie. Son visage, son sourire, l'inquiétante obstination que mettait sa barbe à ne pas pousser, la largeur absolument standard de sa cage thoracique et surtout son prénom – pourquoi avait-il essayé d'échapper à son identité réelle ? Il *était* son prénom ! –, tout en lui promettait une tranquillité banale, faite de bonheurs médiocres et de tristesses inexistantes. Il était à l'aise dans les barbecues du mois d'août et les piscines municipales, dans les fêtes du beaujolais nouveau et dans les déménagements d'amis, il était à l'aise dans les dîners au restaurant pour fêter un anniversaire et au téléphone pour commander des sushis le dimanche soir, il était à l'aise dans les salles UGC le mercredi de la sortie d'un film. Il aurait excellé dans les réunions parents-profs et les sorties scolaires pour visiter les ruines romaines. Mais non, non, il n'était pas fait pour cette douleur atroce qui semblait sur le point de le disloquer. Il n'aurait jamais dû tomber amoureux.

Ainsi Franck délirait-il sur le sol de la chambre sourde.

La situation aurait été plus difficile encore pour lui s'il avait réalisé que, malgré tous les efforts qu'il faisait pour se convaincre que l'attirance d'Émilie pour Stafford se justifiait pleinement, il ne faisait que s'enliser dans l'erreur. Il se trompait en croyant que Martin Stafford avait un avantage sur lui à cause :

1. de son nom
2. de son intellect
3. de son poste universitaire.

Aucune de ces données n'avait poussé Émilie vers Stafford. Ce qui la troublait, c'était le désir qu'il avait d'elle. Elle avait insisté pendant des années sur la nécessité du respect, de la bonne intelligence et de l'admiration mutuelle dans une relation. Elle avait si bien fait que jamais on ne l'avait désirée ouvertement. On avait vanté son esprit, son humour, sa manière personnelle de construire des théories absurdes et mordantes, on avait parlé de la profondeur de ses yeux.

Et Martin Stafford aurait pu, lui aussi, entrer dans ce jeu-là et masquer son attirance par une succession de procédés sociaux bien connus. Mais il ne le faisait pas. Et Émilie voyait dans ce désir une forme tellement brutale de sincérité qu'elle pliait devant lui, devant ce qu'elle avait pourtant considéré *ne pas vouloir*. Elle avait l'impression que ce désir lui révélait d'elle des zones inconnues, la force de son corps, la volonté propre du ventre, l'étonnante surface couverte par sa peau. Ce qu'elle aurait dû prendre pour un affront – ce que Franck pensait qu'elle prendrait à coup sûr pour un affront – était une découverte. Et elle rougissait de plus en plus, incapable de résister à ce désir sincère que Stafford lui montrait, aussi cru et fascinant qu'une érection exhibée devant elle.

Le démon de la tristesse
Journées d'études – Solange Théveneau

— *Le Silence d'Emily Rose* est le premier roman que Donnell ait écrit ici, sur Mirhalay, après son divorce. Avec les deux suivants, il constitue cette période d'écriture que Helen Wright appelle dans son ouvrage le « *Lorna mourning* », la phase de deuil.

Emily Rose est le livre par lequel l'auteur va faire son apprentissage de la cruauté, en confrontant son héros à la perte. Jusqu'à présent, Carr est évidemment un personnage en souffrance mais il n'a rien à perdre puisqu'il ne possède rien. Il *est* le manque. Or, tout cela change avec la rencontre d'Emily Rose, une jeune femme perdue et adepte de l'automutilation dont le détective tombe amoureux.

C'est en s'appuyant sur le parallèle de l'addiction dont souffrent les deux personnages (elle à la douleur, lui au sexe) que Donnell traite pour la première fois le problème de Carr comme une réelle maladie. Jusque-là, l'addiction sexuelle est tout au plus un procédé narratif qui distingue le détective du commun des mortels et permet à Donnell d'écrire des passages cochons dans lesquels il trouve une jubilation évidente. Mais dans *Emily Rose* apparaît pour la première fois l'horreur de la condition d'Adrian Dickson Carr : la solitude, le manque que la raison ne peut pas calmer, la détestation de soi, le caractère répétitif de l'acte sexuel, le bruit mou des testicules qui tapent contre les fesses de l'autre et la froideur qui subsiste malgré la proximité de la peau, la sueur et l'effort. Pendant ses premiers mois sur l'île, Galwin Donnell relit Beckett et l'on retrouve clairement l'influence de l'auteur de *Godot* (mais surtout de *Premier Amour*) dans sa manière nouvelle de décrire le sexe comme un triste emboîtement de tuyaux et de trous dans des machines étranges que nul désir ne réchauffe plus.

— J'ai toujours pensé, glissa Judith Maroon à l'oreille d'Émilie, que Solange confondait l'exercice de la communication et celui du pastiche.

Elle eut un petit rire :

— Parler de Donnell, au fond, ne l'intéresse pas. Elle préfère montrer qu'elle peut parler comme lui.

Comme elle n'obtenait pas de réponse, elle se tourna pour inspecter sa voisine. La jeune femme était anormalement pâle. Judith n'insista pas.

— Pendant plusieurs mois, continuait imperturbablement Théveneau, Emily Rose et Adrian s'efforcent tous les deux de devenir « normaux ». Le mot, qui revient à vingt-trois reprises dans le roman, n'a pour eux aucun aspect dégradant, au contraire. La norme se présente comme une sorte de magie, de sauvetage et même de salut. Il est extrêmement touchant d'observer le style pastoral, élégiaque qu'emploie l'auteur quand il aborde la vie de ces deux êtres, perdus pourtant au milieu d'une mégalopole si éloignée de l'univers de Virgile, une vie quotidienne peu à peu reconquise contre leurs traumas et leurs anciennes existences délétères. C'est dans *Emily Rose* que Galwin Donnell (qui entre dans la cinquantaine et vient de perdre l'amour de sa vie) prête pour la première fois à Adrian Dickson Carr l'envie de fonder une famille. Le passage dans lequel Carr, regardant Emily endormie devant la télévision allumée, l'imagine soudain enceinte de lui et commence à pleurer de joie est un des plus *sensibles* que Donnell ait jamais écrits. Il y décrit, avec une précision angoissante, le sentiment paradoxal de Carr qu'il est désormais trop tard pour être heureux alors que le bonheur est enfin à portée de main. Le détective a raison de ne pas y croire : tout ce que Donnell lui offre dans ce roman, c'est pour mieux avoir, ensuite, la possibilité de le lui arracher. Un soir, vous vous en souvenez, Adrian Dickson Carr ne rentre pas chez Emily Rose. Il s'arrête dans un bar pour discuter avec une femme rousse aperçue depuis la rue. Lorsqu'il parvient enfin à échapper à l'emprise qu'elle exerce sur lui, triomphant et fier, il court presque jusqu'au petit appartement mais il est trop tard. Emily s'est suicidée. Elle a vu dans son absence la preuve que les gens comme eux ne guérissent jamais. Il la trouve étendue sur le canapé, entourée de boîtes de médicaments, le corps rayé de coupures obliques. Carr s'assied près d'elle – presque comme la nuit de leur rencontre – et attend que le jour se lève avec l'absurde espoir qu'elle reprenne vie à la lumière. Mais Emily est morte.

— Dieu du ciel, ne put s'empêcher de maugréer Judith, est-ce qu'elle va nous raconter tout le roman ?

— Vous auriez un mouchoir ? demanda Émilie pour toute réponse.

Judith sortit un paquet de son sac, sans se soucier du bruit qu'elle faisait.

— C'est dans les pages suivantes que l'on voit apparaître la tristesse, annonça Solange Théveneau en haussant la voix, non pas sous forme de sentiment mais comme entité propre, avec sa force et sa volonté, comparable en cela à un démon. Galwin Donnell abandonne l'intrigue policière qui sous-tendait la première partie du roman et se livre à un exercice particulier : pendant tout un chapitre, il décrit minutieusement les réveils d'Adrian Dickson Carr au cours du mois qui suit la mort d'Emily Rose. Chaque matin, le détective lutte pour parvenir à se réveiller avant sa propre douleur (Donnell utilise les termes « douleur » et « tristesse » de façon interchangeable). Le combat – quoique intérieur – est d'une rare violence : même les scènes de fusillade dans *Le Temps des morts* n'atteignent pas l'intensité de ce chapitre. La tristesse, chez Donnell, paraît savoir comment interrompre les rêves pour être la première à ouvrir les yeux, la tristesse peut passer de longs doigts de métal entre les côtes et jouer avec le cœur qui cherche à disparaître. La tristesse ouvre les intestins pour que leur contenu se répande et que le sang s'empoisonne des excréments infects. La tristesse est la balle reçue au ventre, les tissus déchirés et les hémorragies qui s'ensuivent. La tristesse est une castration sans anesthésie ni suture, l'absence sanglante des organes.

Émilie serra les dents pour contrer son envie de vomir. Elle se demandait si elle allait être obligée de quitter la salle.

— Il y a trente paragraphes dans ce chapitre, rappela Théveneau, un pour chaque matin du mois, et tous dressent un bilan du combat quotidien. Si Adrian parvient à se réveiller le premier, alors quelque chose est possible : se lever, manger, peut-être même sortir chercher le journal. Mais lorsque la tristesse se réveille avant lui, lorsqu'elle le frappe avant même qu'il sache qui il est, qu'il se souvienne du lieu et de la date, c'est un spasme horrible. C'est comme si son être se recroquevillait sur lui-même. Et Adrian Dickson Carr, dans cet état où il ne sait même pas qu'il est Adrian Dickson Carr, pleure à grands sons rauques. Sans honte. Parce qu'il ne se souvient pas encore qu'il est un homme, un ancien flic, une légende des bas-fonds. Il est tout entier livré à la douleur. Il n'y a pas un centimètre de son corps qui ne lui soit pas offert.

Moments décousus
avec journal intime

« Il est assez singulier, quand on y
pense, qu'un homme dont le métier
consiste à se pencher sur les milieux
du crime et à en recenser les exactions
les plus atroces considère encore
– vingt ans après son divorce – que la
trahison d'une femme est l'expression
la plus absolue du mal. »

Arthur REVAN,
Les Derniers jours de Galwin Donnell.

Franck ne savait plus depuis combien de jours
(ou étaient-ce des heures très longues ?) il se trouvait dans la chambre sourde. Il essayait de dormir
à longueur de temps pour faire taire les voix dans
sa tête mais il ne parvenait pas à dormir *tout le
temps*. Il y avait toujours des phases d'éveil, très
désagréables.

Dans ses états de semi-conscience, il lui semblait qu'il pleuvait à verse à l'extérieur. Parfois,
il entendait la voix de Jock tout près, mais il
n'était pas sûr que le gardien se tienne véritablement à côté de lui, dans le noir. S'il était là, il

ne semblait pas s'offusquer du silence de Franck et parlait seul, sans discontinuer. Dans son monologue revenaient souvent les Journées d'études internationales qu'il rendait responsables de tous leurs maux et sa voix s'échauffait ou, au contraire, se faisait froide et dure. L'idée que les Journées d'études continuaient à se dérouler à quelques centaines de mètres de la chambre sourde était insupportable à Franck et il essayait de se rendormir chaque fois qu'elle lui venait à l'esprit. Parfois, il se frappait la tête contre le sol en espérant s'assommer.

Parfois aussi, Franck tendait la main vers une bouteille de whisky à côté de son matelas qui était toujours pleine. Preuve, peut-être, que Jock venait réellement le voir et apportait ce cadeau répétitif à chacun de ses passages.

Parfois, Franck sortait uriner dans la bruyère. Il essayait de garder les yeux fermés autant que possible pour ne pas se dire qu'il était réveillé. Il l'était.

Une fois, il lui sembla apercevoir le phoque Donnell qu'ils avaient poursuivi dans la mer, lui et Émilie. Le phoque se tenait dans un coin de la chambre sourde et se défaisait lentement de sa peau.

Parfois, Franck croyait qu'il allait mourir de tristesse.

Ses pensées décousues finissaient par se ressembler dans le sommeil et dans la veille. Elles étaient si confuses et si répétitives que même lorsqu'il dormait, il s'exhortait à sombrer encore plus profond dans l'inconscience, à atteindre une strate cachée du sommeil où il ne subsisterait rien, ni mot, ni image, et où il pourrait enfin trouver du repos. Les pensées tournaient toutes autour de ce qu'Émilie pouvait ressentir en cet instant. Franck tenait un journal intime d'Émilie à sa place. Il vivait avec une voix permanente dans sa tête qui n'était pas vraiment la voix d'Émilie mais la voix d'Émilie imaginée par Franck. Une sorte de monstruosité.

Journal d'Émilie (tel qu'imaginé par Franck)

Je n'aime pas Franck. Je ne l'ai jamais aimé.

J'ai peut-être eu de l'amitié pour lui. Ou de la pitié – il est gentil. Mais jamais je ne l'ai aimé.

De la pitié et un peu de honte (sa manière de parler, sa manière de manger, l'étrange implantation de ses canines). C'est ce que j'ai pris pour de l'amour pendant huit ans.

Peut-être que si j'avais été moins occupée par mon travail, j'aurais réalisé bien plus tôt que ce n'était pas – *ne pouvait pas être* – de l'amour. Souvent, son visage me semblait si absurde que j'avais envie d'éclater de rire.

Je pourrais en trente secondes donner une liste de tous les hommes que j'ai désirés plus que je n'ai désiré Franck. Sexuellement, cette relation a toujours été, avouons-le, un *désastre*. Il n'a jamais...

Calme-toi, Franck, calme-toi, essaie de dormir.

Journal d'Émilie n° 2

Il y a eu de bons moments. Ce serait malhonnête de ne pas le reconnaître.

Il y a eu de l'amour, même. En tout cas, beaucoup de tendresse.

Rien de ce qui arrive aujourd'hui ne peut détruire la beauté qu'il y a eu entre Franck et moi au cours des huit dernières années.

Il m'a appris beaucoup de choses.

Nous nous sommes vus grandir.

Ce n'est la faute de personne, et surtout pas la sienne, si l'amour s'en va.

Rien ne s'arrête au moment de la rupture. Nous restons liés. Nous restons tendres. Je l'espère.

Ce qui change, c'est *une* forme de l'être ensemble – une forme qui, avouons-le, sur le plan sexuel a toujours été un désastre et

Putain, arrête Franck, calme-toi et dors. Est-ce qu'on est supposé dormir dans un moment pareil ? Comment font les autres ? Je vais mourir de manque de sommeil si je ne dors pas. Peut-être que je devrais prendre des calmants. Peut-être que je vais devenir un zombie sous anxiolytiques qui mélange l'alcool et les médicaments. J'aurai des phases extatiques et des phases extrêmement dépressives. Les gens diront : « Pauvre Franck. » Mais quand même, ils me verront moins. Dors. Essaie de dormir. À moins que je dorme déjà ? Est-ce que Galwin Donnell dormait, lui, sur cette putain d'île après son divorce ? Il n'avait pas la tête d'un homme qui dort bien sur la jaquette de ses livres. Est-ce que c'est pour ça qu'il s'est noyé ? Est-ce que ça veut dire que je vais être pris d'une irrépressible envie de mourir ? Oh non. Non. Je ne veux pas vouloir me suicider. Ma mère ne me pardonnerait jamais une chose pareille. Calme-toi, Franck, calme-toi. Tu ne vas pas, tout à coup, décider de te lever et d'aller te noyer alors que tu ne le veux pas. Ça ne se passe pas comme ça.

Et qu'est-ce que tu en sais ?

Franck, pour se calmer, tentait de visualiser et de compter chaque vague qui séparait Mirhalay de la côte. Et sur chaque vague, les mouettes ou les algues comme des perles noires qui la surmontaient.

Parfois, Franck se disait qu'il devrait se lever et retourner à l'école. Qu'il lui faudrait bien le faire à un moment ou un autre, ne serait-ce que pour quitter l'île. Et puis, l'instant d'après, il se disait que ce qu'il n'avait justement *aucune envie* de faire, c'était retourner à l'école, et il se rendormait pour ne pas avoir à prendre de décision.

Parfois, Franck croyait qu'il allait mourir de tristesse.

Ça n'arrivait jamais.

Réminiscence
Journées d'études – Patricia Blacksmith

M.M. : Patricia est toujours passionnante lorsqu'elle parle du monde de l'édition au sortir de la guerre. Absolument passionnante. Je pourrais l'écouter des heures.

J.M. : Ce qu'elle disait sur les Angry Young Men...

S.T. : Les choses ont changé tellement vite en soixante ans. C'est impressionnant. C'est comme si le XXe siècle avait été, en fait, une succession de siècles en condensé.

M.M. : Le temps s'est accéléré.

S.T. : Quelqu'un veut du café ?

A.R. : Merci. Le temps va trop vite pour que nous puissions suivre son déroulement. Nous sommes désormais obligés de visualiser *après coup* des enregistrements.

J.M. : Nous vivons dans un monde d'enregistrements, oui. Qui peut encore dire qu'il est sûr que quelque chose est arrivé ? Est-ce que l'expression *témoin de l'Histoire* a encore un sens alors que nous ne sommes plus, en réalité, que spectateurs d'un écran ? Je me le demande.

S.T. : Le temps va trop vite pour que nous puissions tirer des leçons de l'Histoire, et je m'inclus totalement dans ce « nous », j'en suis la première incapable. C'est effrayant.

A.R. : Vous ne vous sentez pas bien, mademoiselle Perret ?

J.M. : Ça ne va pas, Émilie ?

S.T. : Émilie... ?

Extraits de la préface
du *Pont des anguilles*
George Barney
(édition anniversaire de 2006)

J'avais sur mon bureau la première moitié du *Pont* dont Galwin m'envoyait régulièrement des chapitres et je savais, en me basant sur ce début, qu'il s'agissait de son chef-d'œuvre. Ça ne ressemblait à aucun manuscrit qui m'était passé entre les mains.

Je croyais que ce roman amorcerait une nouvelle ère dans son écriture (et probablement au-delà, il ouvrait de nouvelles pistes à la littérature policière dans son ensemble) et je me réjouissais déjà de la suite. Je ne me doutais pas qu'il serait tout le contraire, que rien ne viendrait plus après *Le Pont*, et que le tiroir dans lequel j'avais si souvent rangé des pages venues de Mirhalay et propres à m'ôter le sommeil n'abriterait plus aucun texte de Galwin Donnell.

[...]

Lorsque j'ai ouvert le carton que Martin Stafford m'avait fait parvenir à la fin de l'été et que j'y ai trouvé une suite partielle du roman couverte de notes, une ou deux nouvelles, une foutue liste de titres mais pas le dernier chapitre du *Pont*, j'ai pensé : Donnell, salopard, tu te fous bien de ma gueule. Je ne sais pas comment l'expliquer mais ça ressemblait bien à Galwin de me faire un coup pareil juste avant de mourir. Je me suis servi un verre de whisky et j'ai commencé à rire tout seul.

[...]

La réception qu'a eue *Le Pont des anguilles* en 1986 a été à proprement parler extraordinaire. Le téléphone n'arrêtait pas de sonner et les préposés au courrier croulaient sous le travail. Chez Bantham House, personne ne parvenait à croire le degré de folie atteint par certains lecteurs lorsqu'ils découvraient que le roman n'apportait pas de résolution[1].

Nous conservons encore précieusement certaines lettres dans nos archives et nous les relisons de temps à autre, quand la nostalgie nous prend. Nous avons toujours l'assurance de passer alors un bon moment. S'il fallait n'en citer qu'une, je donnerais sans hésiter ma préférence à celle qui m'accuse d'avoir fait disparaître le dernier chapitre parce qu'il aurait contenu la révélation du troisième secret de Fatima qui condamnait sans attendre notre monde à l'Apocalypse.

[...]

---

1. La première édition du *Pont des anguilles*, sur décision commune de Stafford et de moi-même, ne comportait aucun avertissement quant au chapitre manquant. La situation était expliquée uniquement en postface. Nous avions par ailleurs demandé aux journalistes de ne pas en faire mention dans leurs comptes-rendus. À l'heure d'Internet, il serait bien sûr impossible de reproduire un tel « coup » mais à l'époque – je le dis sans fausse modestie –, ce fut un succès considérable.

Les élucubrations furieuses de certains ne me font pas pour autant oublier les nombreux messages d'amour et de remerciements que des lecteurs ont tenu à nous envoyer après la mort de Donnell, témoignant de la force de leur lien avec cet auteur. Aujourd'hui, alors que la situation du livre inquiète plus d'un acteur du marché, ce sont ces petits mots qui me rappellent quotidiennement pourquoi l'on devient, et l'on reste, envers et contre tout, un éditeur.

Disparaître avant les déceptions

« C'est absolument idiot tout ce qu'un homme peut faire pour conserver l'illusion que sa vie n'est pas aussi ordinaire que celle de son voisin. Le nombre infini de formes que cela peut prendre. Et la stupidité inhérente à chacune de ces formes. »

Galwin DONNELL, *Le Temps des morts*.

Franck était allongé dans l'herbe humide. Ce soir-là, il y avait tellement de brume que sa main disparaissait au bout de son bras. Il ne pouvait pas la voir. Elle était un nuage froid. Il sortait de la chambre sourde et son envie de prendre l'air s'était transformée en vomissements épars puis en besoin de s'allonger un peu plus loin.

Maintenant, le gardien se tenait au-dessus de lui, sa casquette sombre si bien enfoncée sur la tête que devant la nuit, on aurait dit que le haut de son crâne avait été coupé.

— Je t'aime bien, tu sais, dit Jock.

Franck le remercia, un peu gêné. Il aurait voulu que l'autre ne le regarde pas. Pas alors qu'il venait d'être malade, qu'il se sentait sale, honteux, minable. Personne n'aurait dû le voir comme ça. Ça n'aurait pas dû être vrai, tout simplement. Il s'efforçait de penser qu'il n'était pas là, qu'il était chez lui, à Paris, bien au chaud dans son canapé.

— Et je vais te dire un truc...

— Ouais, bredouilla Franck.

Il voulait que Jock arrête de parler, qu'il le laisse à son rêve. Il se concentrait sur l'évocation de son canapé – rayures bleues, velours râpé, petits trous ronds laissés par ses cigarettes et celles d'Émilie au temps où elle fumait encore. Il avait la vague impression que son salut tenait à la reconstitution mentale de ce canapé.

— Tu devrais m'aimer beaucoup.

Franck fut pris d'un doute : est-ce que le gardien le draguait ? Cette question le renvoya à son statut de célibataire et à la tristesse qui le rongeait. Tout y revenait toujours. Il n'y avait pas de fin.

— Beaucoup, beaucoup, murmura Jock, si tu savais ce que j'ai fait...

— Quoi ?

— Galwin Donnell.

— Ouais.

— S'ils ne l'ont jamais retrouvé...

— Ouais... bredouilla encore Franck.

Il essayait d'accélérer le débit des paroles de Jock, de lui faire finir sa phrase. Qu'enfin le silence revienne. Mais rien n'y faisait.

— C'est parce que son corps est dans les grottes au pied de la falaise. C'est impossible que la mer le rejette un jour sur une plage ou quoi que ce soit. Il est bien coincé en bas. S'ils n'ont jamais retrouvé l'épave d'un cargo entier, comment ils auraient pu retrouver un cadavre ?

— Comment est-ce que tu peux être sûr qu'il est là ? demanda Franck.

— C'est moi qui l'ai poussé de la falaise, répondit tranquillement Jock, et je l'ai regardé tomber.

Franck émit un faible gémissement en roulant sur le flanc. Il voyait le corps de Donnell chuter à travers les airs – comme dans ses cauchemars de gratte-ciel –, chuter encore et encore, parfaitement parallèle au flanc de la falaise, d'abord la secousse des mains de Jock dans son dos – la surprise –, puis cette chute qui n'en finissait pas, comme si dans l'imagination de Franck le corps de Donnell pouvait tout en tombant de la falaise remonter à son point de départ d'où il retombait à nouveau jusqu'à ce que finalement, brutalement, jusqu'à ce que de façon insupportable, le corps heurte l'eau noire et s'enfonce dans cette poche secrète, dans cet estomac de cavernes qui digérait encore une épave endormie et d'anciens trésors de pirates. Franck en avait la tête qui tournait. Il essaya de se mettre debout. Jock s'approcha de lui pour l'aider mais il l'éloigna en battant des bras avec toute l'énergie dont il était capable. Le gardien recula sans insister et Franck retomba sur le sol.

— Tu n'es pas content ? demanda Jock, l'air sincèrement surpris. Je croyais que tu le détestais.

— C'est... c'est une blague ?

— Qu'est-ce que tu en penses ?

Jock se retourna, adressa à Franck un clin d'œil. Il avait l'air de s'amuser.

— Tu n'étais même pas là. Tu n'étais même pas né... Tu...

— J'avais dix ans.

Le ton de Jock était précis, assuré. Franck se souvint de l'été en Provence, l'été des maisons de vacances qui se ressemblaient toutes. L'annonce à la radio, la tristesse de sa mère.

— Il fumait un de ses petits cigares dégueulasses au bord de la falaise, juste au-dessus des trois rochers qui ressemblent à des dents. Je n'en pouvais plus de lui, de ses plaintes. Il me racontait toujours son divorce. Il disait que la vie était de la merde. Et il ne voyait même pas que lui nous volait nos vies, à mon père, ma mère et moi. Que nous étions coincés sur cette putain d'île à cause de lui, pour qu'il puisse pondre ses chefs-d'œuvre, devenir encore plus riche, et puis se plaindre. Les gens qui le révèrent n'ont aucune idée d'à quel point cet homme était insupportable au quotidien. Un connard, vraiment. Je n'en pouvais plus. Alors je l'ai poussé.

— Je crois que je vais vomir.

Franck se tourna sur le ventre et se traîna un peu plus loin. Son estomac se contracta plusieurs fois violemment mais rien ne vint.

— Bien sûr, continuait Jock, ça n'a rien changé finalement. Le duc a sorti de son chapeau cette idée géniale des Journées d'études et ma famille est restée là. Coincés comme des rats. Ce qui est drôle, c'est qu'avec les années je me suis rendu compte qu'il avait raison, Donnell. La vie, c'est vraiment de la merde. Tu es d'accord ? Ça m'a frappé quand tu es venu chez moi pour chercher le matelas. Purement et simplement de la merde. Rien à en tirer.

Franck émit un râle déchirant. De la bile lui montait à la bouche. Il la cracha sur la végétation minuscule.

— Alors c'était peut-être mieux que je le tue. De toute façon.

— Non, dit Franck faiblement, non.

Il essaya à nouveau de se lever mais n'y parvint toujours pas. Il se redressa sur ses coudes et regarda l'autre, sans parvenir à distinguer les traits de son visage dans l'obscurité.

— Tu me crois ? demanda le gardien en se tournant vers lui.

— Ce n'est pas vrai ? articula péniblement Franck.

Il avait encore l'espoir qu'il s'agisse d'un conte de la Grande Île. Jock rit en recrachant la fumée de sa cigarette entre ses dents.

— *For me to know and for you to find out.*

À l'intérieur

Tipiti. Tipititop.
C'était un bruit minuscule dans la nuit.
C'était un bruit qui tremblait.
Tip. Tipiti.
Le bruit des larmes d'Émilie qui tombaient sur la photographie de Donnell, celle de 1961, avant le divorce. Les larmes d'Émilie effaçaient peu à peu sur le papier le visage large et puissant de Donnell qu'elle gardait dans son portefeuille depuis 1998.

L'homme qui disparaissait de la photographie ressemblait un peu à Franck. Elle ne le lui avait jamais dit. Quand elle l'avait vu pour la première fois dans un concert, c'étaient les traits de l'homme de 1961 qui lui étaient soudain apparus. Et les yeux d'Émilie avaient laissé transparaître ce choc lorsqu'ils avaient posé aux yeux de l'inconnu dans la foule la question : « Vous ici ? »

Elle avait eu l'espoir qu'elle vieillirait aux côtés de Franck et que lorsqu'il atteindrait l'âge qu'avait Donnell sur cette image, quand il aurait son visage d'homme, ce visage unique auquel nul ne peut plus échapper – au contraire des traits lisses de la jeunesse qui portent encore le flou du futur et de tous les devenirs possibles –, quand le dessin de son visage serait fixé (ou quand l'histoire de son visage serait écrite) comme l'était celui de l'auteur en 1961, elle prendrait à son tour une photo de lui qu'elle glisserait dans son portefeuille. Ses deux hommes. Ses deux amours.

Mais elle venait de faire une erreur et Franck était parti. Il l'avait laissée toute seule avec son erreur.

Tipiti. Tipititop.

Il pleut à l'intérieur, pensa Émilie.

Mais elle n'y croyait pas tout fait.

Interview de Galwin Donnell
(donnée par téléphone, février 1985
quatre mois avant sa mort)

— Les lecteurs attendent votre prochain livre.
Il est pour bientôt ?

— Il est presque fini.

(toux sèche)

— Tout va bien, monsieur Donnell ?

— Oui, tout va bien. Il fait atrocement froid
ici. Putain d'hiver sur cette putain d'île. À chaque
fois je tombe malade.

— Est-ce que vous pensez revenir ? Un jour… ?
Je veux dire… bientôt ? Vous y pensez ?

— Revenir où ?

— Pardon ?

— Revenir où ? Vous dites « revenir » comme si
j'avais un point de départ à retrouver. Une maison.
Quelque chose. Revenir vers qui ? Vers quoi ?

— Je ne sais pas…

— À Édimbourg ? Ça vous arrangerait pour vos
interviews, c'est ça ? On devrait parquer tous les
gens à interviewer dans la capitale de leur pays.
Leur interdire de sortir.

— Non, non, bien sûr…

(bruit de briquet, nouvelle quinte de toux)

— Pourquoi est-ce que j'aurais envie d'aller vivre à Édimbourg ? C'est une ville de pauvres, d'alcooliques et de drogués.

— On ne peut pas généraliser comme ça.

— C'est vrai. C'est aussi une ville de sidéens.

— ...

— Quoi ? Ça vous choque ? Ou alors vous ne vous attendiez pas à ce que je sois aussi bien informé ? Édimbourg a les chiffres les plus accablants de toute l'Europe de l'Ouest. Merde, je suis quand même auteur de romans policiers. Je fais mon beurre de ce genre d'informations.

— ...

— On vient à peine de découvrir une maladie et déjà l'Écosse bat des records. C'est fou, non ? Je me demande s'il ne faut pas se sentir un peu fiers de ça...

— Ne plaisantez pas, monsieur Donnell.

— Pourquoi ? *(silence de quatre secondes, nouvelle quinte de toux)* Vous avez entendu cette histoire, il y a deux mois ? Le gamin qui a tué son père parce qu'il ne voulait pas lui acheter une voiture ? Il prend un couteau de cuisine et il le tue. C'est ça qui se passe à Édimbourg aujourd'hui. Vous voulez que j'écrive sur ça ? *(toux)* Même les policiers n'ont pas envie d'enquêter sur un truc pareil. Alors lire un roman...

— Vous voulez dire que les crimes ne sont plus aussi intéressants qu'avant ?

— Je veux dire que le monde entier est moins intéressant qu'avant. Il y a de plus en plus de gens à avoir suffisamment d'études ou de culture pour qu'on puisse s'étonner qu'ils soient si cons.

— Ah.

— Et ça, ce n'est pas bon pour le roman policier.

La colle qui tenait l'univers

C'est le troisième jour de son isolement dans la chambre sourde que Franck se réveilla enfin *pour de vrai*. C'est-à-dire que Franck se réveilla avant la voix d'Émilie imaginée par Franck et que Franck put ainsi se parler à lui-même et se dire que c'en était trop, que tout ceci était ridicule.

Un flot de lumière entrait dans la petite maison et lui éclaboussait le visage de ses reproches. Le vent se glissait aussi à l'intérieur. La porte était grande ouverte. Jock l'avait probablement laissée ainsi en quittant l'endroit. Franck lui fut reconnaissant de lui avoir imposé cette rencontre avec la réalité. Le soleil était faible et blanc mais il définissait au moins une heure du jour.

Il se leva maladroitement. Il avait une gueule de bois atroce après trois jours passés à dormir et à boire du whisky. Il se sentait comme un cadavre de poisson échoué sur une plage à marée basse. Mais la gueule de bois était préférable à la tristesse. C'était une douleur qui passerait et dont on pouvait identifier et éradiquer les causes (rituelle promesse de ne plus jamais, *plus jamais* boire).

Franck sortit de la chambre sourde. Au passage, il heurta du pied la bouteille de whisky qui roula dans un coin. Elle était vide. Peut-être avaient-ils finalement épuisé les réserves de Jock. Il ne se souvenait pas exactement de ce qui avait pu se passer au cours des trois derniers jours.

Dehors, la magie effrayante de Mirhalay semblait s'être apaisée. Le paysage était normal. L'île était redevenue un caillou sur la mer, sans charme, sans démons. La gueule de bois est rétive à la magie. C'est ce qu'il y a de bien.

Franck sentait la fragilité de son ventre, torturé par les excès de l'alcool et de la faim. Et ce cri qui partait de son corps le décida mieux que tous les raisonnements à se rendre à l'école. Il n'allait pas jeûner plus longtemps, quel que soit le regard que les autres porteraient sur lui quand il reviendrait.

Il croisa les moutons, les squelettes rouillés du Village et les tombes. Sa tête pesait un bon poids de dégoût.

Il parvint à l'école vide et silencieuse et se dirigea vers le réfectoire. Émilie était assise à la grande table, parfaitement immobile. Elle ne montra aucune surprise à son arrivée, comme si elle avait passé trois jours à l'attendre ici, comme si la raison précise de sa présence dans le réfectoire en cet instant avait été le retour de Franck. Son visage était crayeux, défait. Il n'y avait plus aucune lumière autour d'elle. Émilie était éteinte. Franck aperçut son reflet dans l'une des grandes fenêtres et constata qu'il était encore pire, pire qu'éteint. Il avait une face à éteindre le monde.

Il s'installa à la table, dans cet espace qui était public, qui n'était pas un espace de couple. Sans avoir eu besoin d'échanger un mot, ils n'avaient pas pris la direction de la chambre. La chambre était morte pour eux.

— Où est-ce que tu étais ? demanda Émilie.

Sa voix aussi était défaite. Elle se désagrégeait à chaque syllabe, comme si les mots peinaient à tenir ensemble.

Il lui dit qu'il avait préféré s'éloigner. Que si elle avait choisi Stafford plutôt que lui, il n'avait pas son mot à dire mais qu'il n'était pas non plus tenu de regarder. Il essayait de parler avec dignité, donnait un petit spectacle de sa noblesse qu'il tenait entre eux comme une marionnette.

— Choisi ?

Elle répéta le mot avec une ironie macabre.

— Oh Franck, c'est n'importe quoi. Comment est-ce que tu as pu penser que l'embrasser alors que j'étais ivre et que j'étais en colère pouvait signifier tout à coup la fin de ce que toi et moi nous avons vécu ? Que ça pouvait rayer huit ans de relation ? Effacer tout l'amour, comme ça, d'un coup ? Mais qu'est-ce que tu as foutu...

— Je me suis désisté, je crois, dit-il avec un pâle sourire.

Il était au bord de l'évanouissement. Il s'était attendu à une scène violente. Et maintenant qu'ils étaient l'un en face de l'autre, il n'y avait aucune rage, juste un sentiment de gâchis profond, et l'impression que depuis huit ans ils s'étaient tous les deux préparés à ce qui arrivait. La colle qui tenait l'univers avait séché.

— Tu as mangé ?

— J'ai oublié, répondit-il.

Émilie posa la main sur le bras de Franck, réunissant dans ce geste toute la tendresse dont elle était encore capable mais qui n'était qu'un reste épuisé ou une imitation de la tendresse réelle. Puis elle s'éloigna en secouant la tête vers la cuisine. Il entendit des bruits de vaisselle et celui du micro-ondes. L'odeur de nourriture lui parvint, presque douloureuse tant elle était envahissante.

C'était fini. Il le voyait clairement. Il était capable de le formuler. Non pas : *elle m'a quitté*, mais : c'est fini. Parce qu'il l'avait quittée aussi, finalement, en préférant se cacher, se réfugier auprès de Jock plutôt que de parler avec elle de ce qui s'était passé. Il l'avait quittée en lui demandant un enfant. Elle l'avait quitté en répondant : thèse. Il l'avait quittée en ne venant pas à sa communication. Elle l'avait quitté en acceptant le poste à Cambridge. Tous leurs derniers instants avaient été une suite de séparations minuscules qu'ils avaient fait semblant de ne pas pouvoir interpréter. Ça ne rendait pas les choses plus faciles. Peut-être même qu'elles en devenaient plus laides. Mais désormais il pouvait les nommer.

Elle revint à la table, posa une assiette devant lui et il commença à manger lentement, les yeux fixés sur le ragoût de viande, incapable de regarder la femme qu'il aimait, qu'il avait cru qu'il aimerait toujours et commençait déjà, à une vitesse étonnante, à ne plus aimer.

Il n'avait pas encore fini son repas quand ils entendirent les cris.

Enfin un cadavre

« La littérature ressemble énormément à un combat de samouraïs. Mais un samouraï n'y affronte pas un autre samouraï : il se mesure à un monstre. La plupart du temps, il sait bien qu'il sera vaincu. Avoir le courage, alors que vous savez à l'avance que vous perdrez, de sortir vous battre : voilà ce qu'est la littérature. »

Robert Bolaño,
interviewé par Eduardo Cobos,
Mezclaje.

Les cris ressemblaient à des mugissements. Émilie et Franck se posèrent en silence la même question : est-ce que le monde pouvait encore empirer en cet instant ? Franck repoussa son assiette et ils s'approchèrent d'une des grandes fenêtres du réfectoire. Même ainsi, dans ce moment de surprise et de peur, appuyant tous les deux leur front à la vitre, ils ne se touchèrent pas.

Ils virent Anton et son étudiante sortir en courant du bâtiment de l'autre côté de la cour et se diriger vers la falaise Sud. Ils prirent la même direction, hésitants, se guidant aux cris.

À l'extrémité de l'île se tenait un petit groupe immobile dans le vent, penché vers la mer. Solange Théveneau était à genoux et hurlait encore et encore, comme une pleureuse de Pasolini, une figure de l'*Iliade*, une vache humaine. Franck s'approcha.

Le corps désarticulé, en survêtement noir, gisait au pied de la falaise. Il était tombé droit sur un des trois rochers rectangulaires qui affleuraient hors de l'eau. Son visage était invisible, collé à un amas d'algues brunes. Ses cheveux paraissaient encore plus rouges vus d'en haut, mais peut-être s'agissait-il du sang qui s'était répandu lorsqu'il avait heurté le rocher. Sa tête avait une forme irrégulière, comme si le crâne avait éclaté sous le choc, sans pour autant sortir de la peau.

— Jock... murmura Franck.

Il aurait voulu fondre en larmes mais ses yeux étaient absolument desséchés par la gueule de bois. Ses yeux étaient des graviers logés dans les cavités de son visage. Il ne comprenait même pas qu'il puisse encore voir quelque chose.

— Merde...

Des souvenirs morcelés de leur conversation lui revenaient peu à peu.

— Merde.

Tout se bousculait à présent, violence éparse, vitesse sans but des bribes de phrases. L'affirmation répétée de Jock que la vie ne valait rien. L'offrande qu'il avait voulu lui faire de l'assassinat de Donnell et que Franck n'avait pas acceptée. Et puis la mention de ces rochers qui ressemblaient à des dents. L'entrée des cavernes où pourrissaient ensemble la vieille épave d'un cargo et le cadavre de l'écrivain.

Jock avait essayé de les suivre, d'aller lui aussi dormir en bas, tout au fond. Seulement, il avait raté son saut. Et son corps restait là, tout près de la dernière demeure qu'il s'était choisie et qu'il n'avait pas pu atteindre.

— C'est incroyable, dit Martin Stafford.

Franck se tourna vers lui, abasourdi. Il n'avait pas, jusque-là, remarqué sa présence. Sa présence, même en cet instant d'horreur intense, lui infligeait une blessure à l'ego difficilement supportable.

— C'est très bien fait, continua Stafford.

Le sourire du professeur était sincère : il croyait qu'il s'agissait d'une mise en scène destinée à animer les Journées d'études. Jock aurait été cruellement déçu de savoir que c'était le premier effet provoqué par sa mort, lui qui haïssait les participants à ces Journées plus que tout au monde.

— Je crois qu'il est vraiment mort, dit Franck entre ses dents.

Ce fut au tour de Stafford de se tourner vers lui pour vérifier s'il était sérieux. Ce qu'il lut dans le regard de Franck effaça son sourire.

— D'ailleurs, dit Franck, si je ne croyais pas qu'il était mort, je ne serais pas là, calmement, à côté de vous sur le bord de cette falaise. Je vous aurais déjà cassé la gueule ou je vous aurais poussé.

Stafford toussa.

— Alors je dois m'estimer heureux que la place soit déjà prise...

— Je vais vraiment vous pousser, dit Franck.

Émilie les regardait tous les deux, son petit visage blanc déformé par la tension.

— Faites donc, dit Martin, moi je vais appeler la police.

Et il quitta le bord de la falaise sans un regard pour Franck. Émilie hésita. Pendant une fraction de seconde, elle suivit Martin des yeux comme si son départ avait été un appel irrésistible qu'elle seule avait entendu. Puis elle secoua la tête. Mais il était trop tard : dans cette fraction de seconde, le désir apparu sur le visage d'Émilie – l'intensité du désir, la quasi-douleur du désir – n'avait pas échappé à Franck. Il pressa de deux doigts son diaphragme qui semblait avoir décidé de ne plus se soulever. Dans un sursaut maladroit, le muscle repartit.

Anton Likiewicz et son étudiante étaient assis un plus loin dans l'herbe. Elle était pâle et pleurait. Anton la consolait comme il pouvait mais le choc se lisait sur sa bouche crispée. Il fit signe à Franck de s'approcher.

— Vous pensez qu'il s'est suicidé ?

Franck hocha lentement la tête. La tristesse et la honte le ravageaient. N'avoir pas pu empêcher ça. Non. N'avoir rien fait pour empêcher ça. Avoir été tellement obnubilé par sa propre douleur qu'il n'avait pas vu celle de Jock, qu'il avait même alimenté celle de Jock du spectacle de ses malheurs.

— Est-ce qu'il va rester là ? demanda Anna.

Franck et Anton se regardèrent. Ils évaluaient tous les deux les efforts et le matériel qu'exigerait une descente le long de la falaise pour aller récupérer le corps du gardien. C'était peine perdue. Anna vit cette conclusion s'afficher sur leurs visages et recommença à pleurer.

— C'est affreux, hoqueta-t-elle, c'est affreux. Il ne peut pas rester là. C'est affreux ! Peut-être qu'une vague va le prendre ou le... Et puis ces mouettes !

Elle se leva brusquement et commença à agiter les bras et à hurler pour effrayer les oiseaux blancs qui tournaient dans le ciel, insolents et sereins.

— Je vais la ramener à l'école, dit Anton.

Franck acquiesça. Après quelques secondes, il leur emboîta le pas. Il se retournait souvent, espérant – quoi ? – peut-être voir Jock surgir tout à coup au bord de la falaise, son sourire étrange au travers du visage comme si tout cela n'avait été qu'une très bonne blague. Mais aucune main n'apparaissait entre les touffes d'herbe grasse et la falaise continuait à finir nettement, imperturbablement dans la mer.

Dans le réfectoire, ils apprirent que Stafford avait pu joindre la police mais que la vedette ne voulait pas prendre la mer par ce temps. Il fallait attendre que le vent tombe, peut-être deux jours.

— Est-ce qu'ils n'ont pas un hélicoptère ? demanda Solange.

— Apparemment, l'hélicoptère est coincé sur Lewis pour une autre affaire, répondit Martin d'un ton morne.

Il était extrêmement improbable, songea Franck, que ce dialogue eût pu être prononcé un jour ailleurs que dans un film et sans une once d'affectation. Pourtant, cela venait d'arriver. Tous ces spécialistes de Donnell étaient désormais *plongés* dans une scène de roman noir. Il leur était possible d'utiliser en tout sérieux des mots comme « cadavre », « police » ou même « Que fait l'hélicoptère ? ». Mais aucun n'était capable d'y prendre le moindre plaisir (sauf peut-être Alec MacMillan, qui durant les deux jours à venir déclinerait tous les adjectifs imaginables pour décrire le corps : explosé, brisé, écrasé, atterri, éclaté, aplati, etc.). Leurs regards perdus erraient de l'un à l'autre, se suppliant mutuellement de trouver un sens à ce qui leur arrivait ou, à défaut, de leur attribuer un rôle précis à tenir. Anna, vacillante, semblait ne pas pouvoir se décider sur une chaise à laquelle s'appuyer : elle faisait péniblement le tour de la table.

— Bon, dit Markus Mann que son métier avait habitué plus que les autres à la *réalité* de la mort et non à sa simple fiction, bon... réfléchissons un peu à ce qui vient de se passer. Est-ce qu'il a pu glisser ?

Franck secoua la tête. Jock connaissait trop bien l'île pour avoir pu déraper au bord de la falaise. Il pouvait s'aventurer sur Mirhalay les yeux fermés. Ses pieds en savaient chaque recoin, chaque relief, chaque traîtrise.

— Bon, bon...

Mann ne poursuivit pas. Contrairement à la disparition de Donnell, il n'y avait aucune place pour le romantisme ou la science-fiction : pas d'engin volant, pas de sous-marin, pas de fuite secrète au beau milieu de la nuit. Rien que le corps au bas de la falaise.

— Il s'est tué, dit Franck dans un murmure.

Il leur parla de la dernière conversation qu'il avait eue avec le gardien, du désespoir dont elle était pleine. Il passa sous silence le fait que Jock s'était accusé du meurtre de Donnell. Il ne pouvait se résoudre à partager ça avec eux. Il voulait croire qu'il l'avait imaginé, dans le brouillard délirant de ces trois jours de douleur et de cuite.

Parmi les participants aux Journées d'études, il y en eut certainement un ou deux pour se rappeler les propos de Cormag Morrison, le père de Jock, face aux policiers qui l'interrogeaient sur la disparition de Donnell : « Vous avez directement pensé à un suicide ?/*Il n'y a pas grand-chose d'autre à faire ici.* » Mais s'ils trouvèrent profondément ironique que par ces paroles Cormag ait prédit sans le savoir le destin de son fils, ils ne le mentionnèrent pas.

— Il faudrait peut-être aller voir chez lui..., avança Solange en hésitant.

Les cris animaux qui étaient sortis d'elle lorsqu'elle avait découvert le cadavre (en suivant la course de son mégot lancé dans la mer, raconterait-elle une fois de retour à Paris) lui avaient abîmé la gorge, éraillé la voix. Elle parlait avec peine.

— S'il y a une lettre... ou quelque chose.

Franck remarqua alors que tous les universitaires étaient tournés vers lui. Ils attendaient qu'il se porte volontaire pour entrer dans la maison du mort, lui qui était le seul à avoir créé un lien réel avec Jock.

— Je vais le faire, dit-il en reniflant, je vais le faire.

Les larmes, incapables de passer par ses yeux taris, lui coulaient du nez – ou du moins c'était l'impression qu'il avait.

Le dernier chapitre

« Je pisse sur Dr House et les superhéros en général. »

Jock.

Franck prit, en traînant les pieds, le chemin
de la maison du gardien, l'ancienne cabane de
saurissage où il n'avait jamais été invité à
entrer.

C'était comme une sorte d'hommage, se disait-
il. En réalité, il se sentait plus proche de la profa-
nation de sépulture. Mais il essayait de se persuader qu'il faisait ce qu'il devait. Pénétrer dans
cette maison où Jock avait passé sa vie entière.
Dans ce sanctuaire moisi qui ne s'était jamais
départi de son odeur de hareng. Et peut-être
dire aux vieux murs qu'une fois de plus on les
avait abandonnés. Qu'ils n'auraient plus d'habitants. Le temps de l'Oubli était revenu sur
Mirhalay.

Quand il eut passé la porte, à sa grande surprise, Franck vit ce qu'on voyait dehors. La mer,
partout, les vagues se brisant sur la côte, la houle
couronnée de blanc, la ligne argentée de l'horizon.

La maison était emplie des tableaux de la mère de Jock, comme des centaines de fenêtres qui, bien qu'elles soient orientées dans différentes directions, offraient toutes la même vue. L'intérieur de la maison était éclaboussé des bleus, des blancs et des gris qui jaillissaient des toiles. L'intérieur de la maison *était* la mer. C'était d'une beauté à couper le souffle.

Il comprit à cet instant que cette femme qui n'avait pas eu le droit de marcher librement sur l'île – pour ne pas croiser l'écrivain misogyne – avait chaque jour profité de ses quelques heures de liberté pour *absorber* le paysage qu'elle s'efforçait ensuite de reproduire, sans fin, sans jamais parvenir à exprimer l'énergie du dehors, sans jamais se décourager non plus. Il comprit pourquoi Jock, écrasé par la magie de Mirhalay dont il se sentait le seul dépositaire, n'avait jamais pu se décider à abandonner cet endroit. Il comprit, enfin, à quel point la vie ici avait pu être une prison pour le gardien et sa famille du seul fait que l'ailleurs n'offrait rien de comparable.

Sur la table de la cuisine, couverte d'une toile cirée au dessin de fleurs pâlies, se trouvaient deux grandes enveloppes en papier kraft. L'une d'elles portait son nom. Il la glissa dans la poche de son blouson, incapable de l'ouvrir aussitôt.

Au bord de la falaise Sud, Anton et Anna se relayaient pour lancer des pierres aux mouettes qui s'approchaient du corps de Jock. Elles étaient nombreuses. Après quelques jets silencieux, l'occupation macabre retrouva un aspect compétitif. Anna lançait mieux qu'Anton.

Dans l'autre enveloppe, il n'y avait que quelques lignes, adressées au reste du monde (« en général ») et griffonnées avec une hargne qui avait parfois troué le papier. Jock y exprimait à nouveau son dégoût de la vie, et plus particulièrement des Journées d'études. Il affirmait qu'il ne pouvait pas supporter l'adoration des gens pour les surhommes, l'atroce soumission qu'il y voyait, l'obscénité de cet amour (« à vomir »). Il crachait à la face du monde (« de la merde »), de la vie (« vraiment de la merde »), tenait des propos haineux à l'égard de Donnell et du Dr House dans une confusion qui frôlait la démence, parfois l'homophobie. Il parlait également (brièvement) des pirates et dénonçait les temps actuels comme une série de sévices sexuels et de perte morale profonde. Bref, il était Jock jusqu'au bout, sans concession et sans cohérence.

La lettre ne contenait aucune mention de l'aveu qu'il avait fait à Franck la veille de sa mort. Peut-être que rien n'était vrai. Franck n'aurait pas trouvé cela surprenant. Que ce n'ait été qu'une vantardise de la part de Jock.

Il replia le mot et sortit. En refermant la porte, il hésita puis tourna la clé dans la serrure et la garda avec lui. Il ne voulait pas que les autres entrent ici. Il voulait que la mer à l'intérieur de la maison, l'infinie blessure de la mère de Jock, demeure inconnue de ceux que le gardien avait haïs.

Comme le vent se levait, un vent d'hiver, un vent qui *annonçait* l'hiver de façon menaçante, un vent de défi qui semblait vouloir chasser de l'île les derniers êtres humains, Anton et Anna regagnèrent les bâtiments blancs et noirs. Ils n'avaient, de toute manière, plus de munitions dignes de ce nom. Il leur restait seulement les graviers.

Franck marcha au hasard des collines et des creux, l'enveloppe au poing, pesante et fragile. Il était à présent en proie à une colère trop grande et trop brûlante pour son crâne. Il se disait que Jock n'avait fait qu'attendre pendant des années que lui, Franck, se présente sur Mirhalay. Il n'avait fait qu'attendre de se lier d'amitié avec quelqu'un pour pouvoir lui jeter en pleine gueule son suicide (sans parler de cet aveu dont Franck ne savait toujours pas quoi faire). Il avait attendu que quelqu'un s'intéresse à lui pour pouvoir mourir en sachant qu'il serait regretté. De cette manière, il échappait au supplice des cormorans se nichant dans son squelette abandonné.

Maintenant, il semblait à Franck que cette étrange intensité qu'il avait lue dans les yeux du gardien dès leur première rencontre n'était que l'expression de cet espoir : qu'un autre devienne suffisamment proche de lui pour qu'il puisse le blesser en mourant. C'était détestable. C'était affreux. C'était un caprice de diva égoïste.

Il lui en voulait terriblement. Il aurait aimé ne jamais lire sa lettre, pouvoir la jeter aux vagues et refuser ainsi à Jock cette souffrance qu'il avait provoquée, seule trace de son existence. S'il n'était pas triste, il renvoyait Jock au néant. Il faisait s'écrouler toute sa belle stratégie. Il gagnait.

Seulement, voilà, il était triste.

Sur le rocher teinté de rouge se posa une première mouette. Elle regarda avec curiosité la tête éclatée de l'humain.

Franck s'arrêta dans le cimetière et se tourna vers la mer, s'alignant sur l'orientation des pierres tombales. Il inspira profondément l'air qui venait du large et glissa un doigt tremblant sous le rabat de l'enveloppe.

Dès les premières lignes, il comprit que ce n'était pas une lettre. Ce n'était même pas l'écriture de Jock.

Franck tenait dans ses mains le dernier chapitre du *Pont des anguilles*.

La mort de Donnell
(scénario possible)

Il finit le dernier chapitre de son roman et il sort.
Il est heureux, autant que peut l'être ce porc-chien
de Donnell. Peut-être que pour la première fois, il
ressent un manque, le manque d'autres êtres
humains avec qui partager sa joie. Il y a bien le gardien et son fils, mais Donnell sent qu'il les ennuie,
qu'il les fatigue. Il s'est trop plaint. La femme, il n'y
songe même pas. Il a toujours fait comme si elle
n'était pas là.

Il décide de sortir prendre l'air tout seul et de
confier sa satisfaction du travail fini au vent marin.
Marcher comme un conquérant sur la petite falaise.

Il avance. Il allume un de ces cigares qui lui
brunissent les dents et il pense, pour la troisième
fois de la journée, qu'il devrait arrêter de fumer,
qu'il ne rajeunit pas. Il a le souffle court. Il
s'arrête et s'assied sur un rocher. Il pose sa veste
à côté de lui. Il pense qu'il devrait arrêter de
fumer mais il pense *aussi* au peu de bouffées qu'il
lui reste à tirer sur ce cigare et à la possibilité
d'en rallumer un autre aussitôt. Pour retarder ce
moment, il marche jusqu'au bord de pierre déchi-
queté et il regarde en bas.

— Bonsoir, monsieur Donnell, fait alors la voix d'un petit Jock, d'un Jock minuscule dans son dos.

— Bonsoir, Jock, soupire Donnell.

Il n'aime pas beaucoup le petit garçon. Il le trouve bizarre. Trop placide et trop froid pour un enfant. Il pense souvent à l'enfant qu'il aurait pu avoir avec Lorna si elle l'avait aimé correctement. Un enfant qui aurait été roux, comme elle, comme l'est Jock aussi. Mais infiniment mieux que Jock, bien sûr.

— Qu'est-ce que vous faites ce soir ?

— Je fête mon succès, dit Donnell en ricanant.

La célébration est encore plus minable qu'il ne l'imaginait. La solitude, le vent trop coupant pour un début d'été et maintenant cet enfant bizarre.

— Je viens de terminer mon roman.

— *Le Pont des anguilles* ?

Comment est-ce que ce foutu gamin connaît le titre ? Il a dû lire le manuscrit en cachette, entrer dans le *writing shack* et fouiner. Donnell ne dit rien.

— Alors est-ce que vous allez partir ? demande l'enfant.

Hier encore, Donnell aurait répondu non à la question. Mais ce soir il ne sait pas. Il en a assez d'être ici. Peut-être qu'il a retrouvé suffisamment de courage pour affronter le monde. Il hausse les épaules.

Le minuscule Jock aux cheveux de feu dit :

— C'est injuste.

— Qu'est-ce qui est injuste ?

— Que les gens comme vous puissent décider de tout dans la vie et que les gens comme nous, comme papa et moi, soient baladés ici et là, au gré des décisions des autres. Si vous voulez partir, vous partez, et si vous voulez rester, vous restez. On ne vous oblige jamais à rien. Vous ne le méritez pas, je trouve.

Donnell éclate de rire. Il se moque éperdument de la rancune d'un gamin ce soir-là.

Il rit encore alors que ses pieds glissent de presque rien, trente centimètres, sous l'effet de la poussée de Jock, et que tout à coup, il est une microseconde au-dessus du vide puis tombe.

Le petit Jock aux cheveux de feu le regarde disparaître en bas dans la mer. Il y a la caverne des pirates juste au-dessous. On ne retrouvera jamais le corps.

Sur le chemin du retour, avant d'aller dîner, il entre dans le *writing shack* et ramasse les feuilles qui sont soigneusement empilées à côté de la machine à écrire. Il les lira avant de s'endormir. Et il pense priver ainsi Donnell de son dernier succès. Rétablir la balance. Donnell ne méritait rien de ce qu'il a reçu de la vie. Il l'a probablement volé à Jock, ou aux gens comme Jock qui n'ont pas de chance.

Mais est-ce que ça s'est vraiment passé comme ça ?

Peut-être que Donnell s'est suicidé et que l'enfant n'a fait que ramasser ses papiers en désordre.

Peut-être qu'un sous-marin a réellement surgi des flots pour sauver l'écrivain de sa chute et qu'il a fini sa vie ignoré de tous, enfin libéré d'Adrian Dickson Carr, qui s'était si bien collé à lui qu'il avait, en définitive, pris sa place.

Peut-être qu'au dernier moment, il a déployé les ailes fines et translucides d'un parapente qu'il avait cousu vingt ans durant dans l'abri de la petite chapelle.

On ne saura jamais. Une seule chose est sûre : *Le Pont des anguilles* a une fin. Et elle est dans les mains de Franck.

Vertige

« Un livre n'est pas terminé quand vous jugez qu'il est parfait. Un livre est terminé au moment où vous ne pouvez plus supporter d'en relire ne serait-ce qu'une ligne. Au moment où vous savez que si vous avez à le retravailler, vous brûlerez le tout dans un grand feu de joie plutôt que de bouger une virgule. »

Galwin DONNELL,
entretien avec Peter Spencer,
By the Book.

Le bateau les enserrait, les englobait tous, malgré ce qui s'était passé sur l'île. Ils étaient prisonniers d'une proximité obligatoire, comme une famille au repas de Noël, comme des élèves pour une photo de classe. Pourtant ils ne partageaient rien, il n'y avait pas de moment commun. Chacun dans leur coin, ou au mieux par grappes minuscules, ils regardaient Mirhalay s'évanouir à l'horizon et ils ne disaient rien.

Anton serrait contre lui une Anna épuisée. Solange fumait. Markus Mann finissait un paquet de biscuits donné par un inspecteur. Franck, Émilie et Martin formaient un trio disjoint qui n'osait ni s'assembler ni se dissoudre.

Arthur Revan laissait traîner une main dans l'eau et le froid qui lui montait le long du bras le poussait à penser à Donnell. Parfois – il s'était renseigné au moment d'écrire son livre –, parfois au cours de la noyade, le froid arrête doucement le cœur avant que l'on meure d'anoxie, les poumons engloutis par l'eau de mer qui en ravage les alvéoles.

Il souhaitait que ce soit ainsi que Donnell ait trouvé la mort, qu'il ait goûté dans la mort le calme que la vie lui avait refusé, que toutes les rencontres faites au cours de sa vie lui avaient refusé les unes après les autres, malgré leurs fausses promesses de bonheur. Les seuls êtres qui aient réellement aimé Donnell (c'était la théorie que Revan développait dans sa biographie) étaient morts trop tôt ou bien l'avaient quitté. Quant aux autres, ceux qui étaient restés, ils ne l'avaient fait que parce qu'ils y trouvaient leur intérêt et Donnell s'en était forcément aperçu. Son éditeur. Stafford. Le duc d'Alberg. Si fiers de pouvoir exhiber leur relation privilégiée à l'auteur. Et tout aussi incapables de l'aider. Ils l'avaient laissé se jeter d'une falaise, se réjouissant peut-être de voir cette figure légendaire trouver une fin également légendaire – car qui, dans la réalité, peut prétendre mourir d'amour ? La vie est tenace, elle vous force à vous agripper et il y a quelque chose d'affreusement terne dans tous ces « Ne pars pas, j'en mourrais » qui ne se concluent par rien. Donnell avait donné à ses derniers amis et au cercle immense de ses admirateurs une mort romanesque qui les satisfaisait tous. Alors, Revan avait beau visionner en boucle les témoignages qui parlaient d'un « drame horrible » et d'une « tragédie », il n'en pensait pas moins que les prétendus amis de Donnell savaient qu'en le laissant se retirer sur Mirhalay, ils avaient fait de ce suicide la seule issue possible et qu'ils avaient peut-être même attendu ou souhaité ce suicide.

Et nous, se disait-il alors que son bras s'engourdissait contre la coque, nous tous sur ce bateau, nous avons nous aussi, avouons-le, festoyé sur le cadavre de Galwin Donnell comme les poissons du grand Atlantique, sans jamais nous inquiéter réellement de lui. Nous sommes ses fossoyeurs. Peut-être même ses assassins.

Il retira sa main de l'eau en frissonnant.

Les petites maisons de Barra se détachaient le long de la côte, leurs lumières déjà allumées, et les gens à l'intérieur, aux vies imperturbées, s'attablaient devant un bol de soupe.

Franck regardait Émilie qui regardait la mer, les deux mains serrant fermement le bastingage comme si elle avait peur de tomber, comme si elle avait été au cœur d'une tempête ou d'un reportage sur le Vendée Globe. Il regardait ses longs cheveux bruns et la ligne de son profil et il espérait qu'elle ne se retournerait pas, parce qu'il ne saurait pas quoi faire alors du spectacle de son visage, de la beauté d'Émilie dont il ne pouvait plus se réjouir, qu'il n'avait plus le droit de contempler et qui désormais ne pourrait que l'embarrasser ou le blesser. Il se détourna.

À l'arrière du bateau, une minuscule tache grise et noire disparaissait puis réapparaissait dans le sillage. Franck reconnut la tête luisante d'un phoque. Il pouvait à peine distinguer ses grands yeux sombres dans sa figure de goutte. Mais il sut, sans pouvoir se l'expliquer, qu'il s'agissait du phoque qu'Émilie et lui avaient tenté d'approcher quelques jours auparavant. Le phoque qui avait avalé l'âme de Donnell. L'animal continua quelque temps à suivre le bateau et Franck pensa que, peut-être, il les accompagnerait jusqu'au port mais le phoque plongea une dernière fois et ne réapparut pas. Il avait fini ses adieux. Franck s'efforçait de faire de même. Il voulait tout laisser derrière la barrière des vagues.

C'est pour cette raison qu'au moment de partir, avant de monter sur le bateau, il ne prend pas avec lui le dernier chapitre du *Pont*.

Il sait qu'il pénalise non seulement Émilie mais des millions de lecteurs. Il sait qu'il décide pour des millions de gens en cet instant. C'est lui qui leur dit : « Non, vous ne saurez jamais que cette chose existe. » Il est en train de mentir à des millions de gens. Ne serait-ce que par omission.

Mais il ne rapportera rien de l'île. Et il souhaiterait même qu'elle s'enfonce sans bruit dans la mer après son départ.

Il roule le mince manuscrit (dix-sept pages) et le glisse dans la bague en plastique achetée sur Barra qu'il n'offrira jamais à Émilie. On dirait un faux parchemin de pirates destiné à exciter les enfants. Il est difficile de croire que ces dix-sept pages puissent constituer un des grands mystères de la littérature contemporaine.

Il a hésité un moment à les lire avant de s'en défaire. Mais les lire, c'est les garder à l'intérieur de lui. C'est donner une fin, ne serait-ce que dans son esprit, au livre de Donnell.

Il a aussi pensé à les détruire. Peut-être les brûler. Ou les déchirer en confettis qu'il abandonnerait au vent de Mirhalay. Et puis il a réalisé qu'il s'agirait d'un rituel qui reconnaîtrait leur existence, à l'instant même de leur destruction. Il veut entrer dans l'Oubli sans même en dessiner le seuil, de la manière la plus simple possible, comme s'il ne se passait rien. Comme s'il ne s'était jamais rien passé.

Il faut arrêter, se dit-il, d'écrire des graffitis à la face de l'Univers dans une tentative désespérée pour que les gens se souviennent de notre passage. Le droit le plus absolu des autres est de ne jamais penser à nous. Être auteur ou faire des enfants (tout comme se suicider lors d'un événement public, pense-t-il avec amertume) ne sont que des négations de ce droit. Et le réconfort que celles-ci apportent peut nous faire oublier un temps que nous sommes voués à disparaître mais ce n'est qu'un mensonge dont la faiblesse transparaît – Jock, sur ce point, avait raison – lorsque l'on regarde la manière dont la mer se referme sans jamais porter la trace des drames et des naufrages.

Alors, après une dernière errance sur le pré de MacPhee, il abandonne le chapitre et la bague au milieu des herbes qui bordent le Village, entre la grande carcasse du bus et un hublot de machine à laver. Aussitôt, le manuscrit absorbe l'humidité de la végétation et se gondole presque imperceptiblement.

L'encre bave en taches grises. Déjà, on ne peut plus rien lire.

Le texte disparaît.

Il sombre.

Et il semble à Franck, sur le pont du bateau, qu'il connaît le même processus d'effacement, que tout ce qu'il avait pensé avoir écrit d'immuable dans sa vie pâlit à présent jusqu'à s'évanouir. En perdant Émilie, il a perdu le témoin de son existence, ce qui ne lui laisse rien sinon un corps qui ne parvient plus à se situer ni à se définir.

Dans sa tête, des pans de souvenirs s'écroulent comme des murs ou comme des maisons, village fantôme de sa mémoire.

On ne peut pas exister dans ses propres yeux. On ne peut pas arriver seul à la fin d'une vie et se dire à soi-même : oui, tu l'as vécue. Il faut d'autres yeux pour ça.

Il aurait voulu arriver à la vieillesse à côté d'Émilie et que leurs regards usés, en se croisant, puissent se murmurer la somme des années : c'est vrai que nous nous sommes aimés, oui, et haïs aussi, persuadés que nous étions les seuls à éprouver des sentiments si forts, parfois heureux de cette solitude, parfois accablés par l'intensité de nos vies. Oui, c'est vrai. J'étais là mon amour. À la seconde de la peur, au temps de la joie, à l'époque des surprises. J'étais là. Quand tu as perdu ton père, quand tu as passé ta thèse. À la naissance de l'enfant. À la décision d'arrêter de fumer. Quand nous comptions les centimes pour acheter des bières aux amis de passage. Quand nous comptions les jours sans sexe en nous effrayant qu'ils puissent être plusieurs à la suite. Tu as été ce visage sans rides, ces yeux sans ombres, ce ventre dénoué. Tu as été le rire de tous les possibles. J'étais là. Quand tu as compris que la beauté ne serait pas fulgurante, qu'elle se construit quitte à s'affadir. J'étais là quand cet homme dans la rue a cru que tu étais une actrice de cinéma. J'étais là. Aux premières heures du matin. Et toutes les longues soirées de printemps où la lumière n'en finissait pas de baisser. Je t'ai vue arracher tes premiers cheveux blancs et puis garder les autres, qui arrivaient désormais en meutes silencieuses. Je t'ai vue t'arrondir. C'est vrai que tu as existé. Que tu ne l'as pas rêvée, cette vie. J'étais là tout du long et je peux te le confirmer : tout était vrai, amour, chaque instant, comme la nuit du 18 décembre 2011, un exemple choisi au hasard parmi des milliers d'autres, quand vers deux heures du matin la pluie s'est changée en neige alors que nous étions dehors dans le froid, sortis trop tard d'une énième pendaison de crémaillère, et qu'il pleuvait glacé et pénible sur les rues vides et l'absence de taxis, jusqu'à ce que la beauté arrive, en quelques secondes à peine, les gouttes changées en flocons se sont trouvées suspendues dans les airs, elles se sont arrêtées, blanches et légères, brillantes jusqu'à l'irréel, ces gouttes que nous avions devant les yeux, tout autour de nous, et contre nos peaux, nos cheveux, nos manteaux sont devenus la caresse majestueuse de la neige. Tu ne revivras plus jamais ce moment, il faut en être conscient, ce moment est perdu. Tu pourrais passer tes hivers, passer chaque nuit pluvieuse de décembre dehors, à arpenter les rues de Paris, tu pourrais sortir chaque soir avec un nouveau compagnon et traverser les averses glacées mais tu ne reverrais pas une telle chose, tu ne connaîtrais pas une telle félicité, la nuit du 18 décembre 2011 n'est qu'à nous et au moment où nous nous séparons, la nuit du 18 décembre n'existe plus. Au moment où nous nous séparons, tout ce que nous avons connu semble devenir faux, c'est comme si je l'avais inventé, comme si tu l'avais inventé, dans le seul but de le redire un soir à des gens qui ne sauraient pas que nous avons été ensemble. Pourtant ce n'est pas le cas. Ou du moins je ne crois pas. Est-ce que c'est le cas ?

Est-ce que nous l'avons inventé ?

Avons tout inventé ?

Évidemment il est triste. Mais s'il n'avait droit qu'à un mot pour décrire son état, il ne dirait pas tristesse. Il dirait Vertige.

Parce qu'au moment même où il lâche prise et où il accepte de se jeter dans l'Oubli, au moment où il pourrait hurler à l'Oubli de le prendre et de l'effacer (MAINTENANT), il sent aussi quelque chose au fond de lui prêt à se réveiller, quelque chose qui refuse l'abandon et le renoncement et qui partira à la recherche d'autres témoins, d'autres existences auxquelles se mêler. C'est un instinct ancien qui défie tous les nihilismes et qui réclame impérativement qu'il y ait quelque chose plutôt que rien. Il le sent, il voudrait sangloter. C'est une force tapie dans le ventre que la tristesse ne musèle qu'un temps et qui lui interdit de finir. Elle s'ouvre déjà vers des futurs possibles. C'est une confiance qui paraît ne pas lui appartenir mais dont il ne peut pas non plus se défaire et qui se battra pour qu'il continue, qui usera de chaque moment de sommeil, de chaque sourire, de chaque bouchée de nourriture pour le ramener à elle et à la perspective que des yeux neufs, un jour, le réapprennent, l'englobent et le sauvent – un autre regard, un regard inconnu, porté aujourd'hui par un être inconnu qui peut être au coin de la rue comme à Santiago du Chili. Au moment où il pense cela, au moment où il réalise que la survie en lui le dispute à l'Oubli et que lorsqu'il demande « À quoi bon ? » une part de lui s'obstine à promettre,

c'est le Vertige qui arrive et rien d'autre,

le sol s'éloigne, le ciel un peu aussi et la tête lui tourne parce que,

au moment d'une telle pensée,

se dit Franck,

il y a quelque chose de terrifiant et de magique dans la nouvelle plasticité que prend le monde.

Remerciements

à ceux et celles qui m'ont aidée au fil des recherches nécessaires à la réalisation de ce livre, et notamment Catherine Naugrette, qui a dirigé ma thèse jamais terminée sur les figures féminines chez Martin Crimp, et Anaïs Goudmand, qui a aiguillé mes lectures analytiques sur le suspens et les romans policiers,

à ceux dont les conseils d'écriture m'ont été précieux, en particulier Pierre Stasse et Vincent Message, Avengers de la littérature,

à Salomé, pour la précision et la joie de ses lectures,

à Romain, gardien du flambeau et pourvoyeur de polars,

à ceux et celles qui m'ont accompagnée pendant le temps de l'écriture – période compliquée de mon existence – et dont la pensée m'a réconfortée pendant les mois de résidence : mes sœurs Marie et Élise, Fanny, Claire et beaucoup d'autres,

aux personnes et aux structures qui m'ont offert ces résidences : la Villa Yourcenar, Terre de paroles, les Correspondances de Manosque,

aux habitants, qui m'ont accueillie parmi eux, au milieu des jacinthes, de la lavande ou des bois sombres, à Marine qui a écrit près de moi,

à Alix Penent, mon éditrice,

à Rob Doyle, qui m'a initiée à la littérature des écrivains fictifs,

à Killian Turner, disparu trop tôt,

et enfin à cette lectrice inconnue rencontrée au Salon du Livre de La Ferté-Vidame et qui m'avait entendue parler des Hébrides à la radio le matin même. Merci de m'avoir conseillé d'écrire sans délai sur ces îles fascinantes. Sans vous, le roman se perdait dans un autre lieu.

11517

Composition
NORD COMPO

Achevé d'imprimer en Espagne
par CPI
le 24 juillet 2016.

Dépôt légal juillet 2016.
EAN 9782290126486
OTP L21EPLN001913N001

ÉDITIONS J'AI LU
87, quai Panhard-et-Levassor, 75013 Paris

Diffusion France et étranger : Flammarion